Todavía enamorados

ROBYN GRADY

Editado por HARLEQUIN IBÉRICA, S.A.
Núñez de Balboa, 56
28001 Madrid

TODAVÍA ENAMORADOS, N.º 1796 - 6.7.11
Título original: Amnesiac Ex, Unforgettable Vows
Publicada originalmente por Silhouette® Books.

I.S.B.N.: 978-84-9000-428-9
Depósito legal: B-20176-2011
Editor responsable: Luis Pugni
Preimpresión y fotomecánica: M.T. Color & Diseño, S.L.
C/ Colquide, 6 portal 2 - 3º H. 28230 Las Rozas (Madrid)
Impresión en Black print CPI (Barcelona)
Fecha impresion para Argentina: 2.1.12
Distribuidor exclusivo para España: LOGISTA
Distribuidor para México: CODIPLYRSA
Distribuidores para Argentina: interior, BERTRAN, S.A.C. Vélez Sársfield, 1950. Cap. Fed./ Buenos Aires y Gran Buenos Aires, VACCARO SÁNCHEZ y Cía, S.A.
Distribuidor para Chile: DISTRIBUIDORA ALFA, S.A.

Capítulo Uno

Laura Bishop levantó la cabeza del almohadón y aguzó el oído. Dos personas mantenían una conversación, apenas audible, al otro lado de la puerta de la habitación del hospital. La primera voz era la de su hermana, siempre fogosa; la segunda era la de su esposo, Samuel Bishop, igualmente apasionado.

Se mordió el labio inferior e intentó entender lo que decían. No tuvo suerte, aunque era obvio que ni Grace ni Bishop estaban precisamente contentos.

Aquella mañana, Laura se había pegado un golpe en la cabeza y Grace, que estaba de visita, insistió en llevarla al hospital para que le echaran un vistazo. Mientras esperaban a que la atendieran, Laura le pidió a Grace que llamara a Samuel a su despacho de Sidney; no quería molestarlo, pero sabía que en Urgencias se eternizaban y no quería que su marido volviera a casa, la encontrara ausente y se preocupara.

Además, Bishop querría estar informado. Era un hombre muy protector; a veces, demasiado protector. Sin embargo, Laura lo comprendía porque tenía motivos para interesarse por su salud; a fin de cuentas padecía un defecto cardíaco de carácter congénito, y él mismo tenía antecedentes parecidos en su familia.

La puerta se abrió ligeramente y Laura se apoyó en los codos.

–No quiero que se preocupe –bramó Grace desde el pasillo.

–Ni yo tengo la menor intención de preocuparla –contraatacó Samuel.

Laura se volvió a tumbar, deprimida. Le habría gustado que sus dos seres más queridos se llevaran bien; pero Grace parecía ser la única mujer de la Tierra inmune a los encantos de Samuel Bishop. En cambio, ella se había quedado prendada de su carisma y de su atractivo en cuanto lo conoció.

Pero últimamente, había empezado a dudar.

Adoraba a Bishop y estaba segura de que él le correspondía. Sin embargo, la semana anterior había hecho un descubrimiento sobre sí misma que podía cambiar las cosas. Tal vez se habían equivocado al casarse tan pronto.

La puerta se abrió un poco más. Cuando vio el cuerpo atlético de su marido y lo miró a los ojos, se sintió más mareada que en todo el día. Llevaban seis meses juntos y todavía la excitaba y la dejaba sin respiración con una simple mirada.

Se había puesto un traje oscuro, hecho a medida, que le quedaba tan bien como el esmoquin de su primera noche, cuando le clavó aquellos ojos azules y la invitó a bailar. Pero esta vez no había intensidad alguna en su expresión; de hecho, a Laura le pareció que no reflejaba ninguna emoción.

Se estremeció, extrañada.

Bishop era un hombre extraordinariamente atento. Quizás estaba enfadado con ella por haberse resbalado; o quizás, por haberlo sacado de su trabajo.

Fuera como fuera, Laura rompió el hechizo, se llevó una mano a la venda de la frente y sonrió con debilidad.

–Al parecer, me he caído –dijo.

Él frunció el ceño.

–¿Al parecer?

Ella dudó antes de contestar.

–Es que no recuerdo nada... El médico ha dicho que son cosas que pasan de vez en cuando. Alguien se cae, se pega un golpe en la cabeza y no recuerda lo sucedido.

Samuel se desabrochó la chaqueta y se pasó una mano por la corbata. Tenía unos dedos largos y delgados, en unas manos grandes y habilidosas. Ella adoraba esas manos; sabían cómo y dónde debían tocar para causar placer.

–¿No recuerdas nada en absoluto?

Laura apartó la mirada y echó un vistazo a la habitación, tan aséptica como todas las habitaciones de los hospitales.

–Recuerdo al médico que me atendió cuando llegué... y también recuerdo las pruebas que me hicieron –contestó.

Bishop entrecerró los ojos.

Nunca le habían gustado las intervenciones médicas. Laura lo supo dos meses después de que empezaran a salir, cuando le propuso matrimonio. Se presentó con un anillo de diamantes y ella se llevó una sorpresa tan agradable que aceptó sin dudar. Aquella misma noche, mientras descansaban en la cama, le contó que padecía una cardiomiopatía hipertrófica; no se lo decía a todo el mundo, pero le pareció que merecía saberlo.

Bishop se preocupó más de lo que habría imaginado. La abrazó con fuerza y preguntó si podía pasar la dolencia a sus hijos, en el caso de que los quisieran tener. Laura, que había investigado mucho al respecto, respondió lo que sabía: que existía la posibilidad y que la dolencia se podía detectar durante las primeras fases del embarazo, aunque no había más tratamiento posible que el aborto.

Cuando lo supo, Laura notó que esa perspectiva no le agradaba más que a ella; sin embargo, fue evidente que tampoco quería que se arriesgaran con un embarazo de final dudoso.

–Grace me ha dicho que te vio cuando llegaba a tu casa. Dice que te caíste de la pasarela del jardín.

Laura asintió. Era una caída de casi dos metros de altura.

–Sí, es lo mismo que me dijo a mí.

–También dice que estás desorientada...

–No, al contrario. Hacía tiempo que no pensaba con tanta claridad –afirmó.

Bishop la miró de forma extraña, como si no estuviera seguro de que se encontrara totalmente en sus cabales. De hecho, mantuvo las distancias y no se acercó para animarla. La miraba como si se acabaran de conocer y le pareciera una anomalía curiosa.

–Bishop, ven aquí, por favor. Tenemos que hablar.

Él adoptó una expresión sombría y se acercó a regañadientes. Laura se preguntó si el médico le habría dado algo más que los detalles de su caída. De ser así, sería mejor que se lo dijera ella misma, antes de que se enterara por terceros. Pero no sabía cómo iba a reaccionar cuando supiera que se había hecho una prueba de embarazo.

Se incorporó un poco, con intención de sentarse en la cama y poner los pies en el suelo. Bishop reaccionó al instante; se acercó a ella con dos grandes zancadas, la volvió a tumbar y la tapó con la sábana.

–Tienes que descansar, Laura.

Ella estuvo a punto de reír. Su preocupación le parecía excesiva y absurda.

–Pero si estoy perfectamente...

Él volvió a fruncir el ceño.

–¿Seguro?

–Seguro.

–¿Sabes dónde estás?

Laura suspiró.

–Oh, vamos... ya he mantenido esa conversación con el médico, además de con Grace y un montón de enfermeras. Estoy en el hospital; al oeste de Sidney y al este de las Montañas Azules –ironizó.

–¿Cómo me llamo?

Ella sonrió y cruzó las piernas con timidez fingida.

–Winston Churchill.

Él la miró con humor durante unos segundos. Después, carraspeó y declaró con toda la seriedad de la que era capaz:

–Déjate de bromas.

Ella lo miró con exasperación; pero conocía a Bishop y sabía que podía ser muy obstinado, de modo que decidió colaborar.

–Te llamas Samuel Coal Bishop. Te gusta leer el periódico de principio a fin, te gusta salir a correr y te gusta el buen vino. De hecho, te recuerdo que esta noche celebramos un aniversario... han pasado tres meses exactos desde que nos casamos.

Las palabras de Laura fueron un golpe para él. Lo dejaron atónito, pero mantuvo el aplomo y se pasó una mano por el pelo.

Grace y la enfermera le habían dicho que se había pegado un golpe y que estaba confusa. Nadie le había advertido de que había olvidado los dos últimos años de su vida. Laura creía que seguían casados.

Había perdido la cabeza.

Durante un momento, pensó que le estaba tomando el pelo; sin embargo, sólo tuvo que contemplar sus ojos de color esmeralda para saber que no era una broma. Aquélla era la cara inocente y casi angelical de la mujer con quien había contraído matrimonio.

Cuando Grace lo llamó por teléfono y le dijo que Laura quería verlo, se preguntó por qué. Pero ahora lo entendía. Y también entendía que Grace insistiera en no mirarlo a los ojos cuando le pidió que le informara sobre su estado.

La hermana de Laura lo culpaba del fracaso de su matrimonio; seguramente albergaba la esperanza de que recobrara la memoria en cuanto viera al hombre que, desde su punto de vista, la había abandonado. De ser así, él volvería a ser el malo de la historia y la controladora y obsesiva Grace se convertiría en la heroína de su hermana pequeña.

Unos minutos antes, Bishop no habría creído que su opinión de Grace pudiera empeorar; pero se había equivocado.

Miró a Laura y supo que no podía desentenderse y marcharse sin más. Su divorcio no había sido ni pacífico ni agradable, pero estaba enferma y lo necesitaba. Además, había estado profundamente enamorado de ella.

Pensó que había muchas posibilidades de que Laura ni siquiera le agradeciera el esfuerzo si llegaba a recuperarse; pero en cualquier caso, se sintió obligado a ayudar.

–Laura, no estás bien –dijo con una sonrisa forzada–. Tienes que quedarte en el hospital esta noche. Hablaré con el médico y...

Bishop se detuvo unos instantes porque, en realidad, no sabía qué hacer.

–Y ya veremos lo que pasa –añadió.

–No.

Él frunció el ceño.

–¿No? ¿Qué quieres decir con eso?

Laura lo miró con angustia y extendió los brazos hacia él.

Bishop permaneció inmóvil. Sabía que debía evitar el contacto físico con ella, porque era incapaz de resistirse a sus encantos. Pero había transcurrido más de un año desde la última vez que se habían visto y supuso que su deseo estaría tan enterrado como el amor que habían compartido.

Se acercó lo suficiente y permitió que lo tomara

de las manos. La sangre le empezó a hervir al instante, y por la mirada de Laura, era obvio que ella sentía lo mismo.

–Cariño, he pasado media vida en habitaciones de hospitales –murmuró Laura–. Sé que tus intenciones son buenas, pero no necesito que me tengan entre algodones. No soy una niña; soy una mujer adulta y sé que estoy bien.

Bishop rompió el contacto, dio un paso atrás y habló con frialdad y firmeza.

–Me temo que no estás en posición de objetar nada.

Ella apretó los labios, molesta.

–Si crees que renuncié a mi libertad cuando me casé contigo, te aseguro que...

Laura dejó la frase sin terminar. Se quedó repentinamente pálida, como si le hubieran dado una bofetada.

Tardó unos segundos en reaccionar. Y cuando lo consiguió, lo miró con tristeza y remordimiento.

–Lo siento, Bishop, lo siento muchísimo. No pretendía decir eso. No lo he dicho en serio.

Bishop suspiró. Por lo visto, su pérdida de memoria no inhibía los sentimientos que albergaba hacia él. La mujer que lo había acusado era la misma Laura que lo había echado de casa sin pestañear; la misma que, un día después, firmó los papeles del divorcio.

Contrariamente a lo que Grace pensaba, él no había sido el culpable de su ruptura.

Pero no la odiaba. Por mucho daño que le hubiera hecho, no la odiaba. Ni la amaba. Lo cual debía de facilitar las cosas.

–Anda, túmbate y descansa un poco.

–No quiero descansar. Necesito hablar contigo.

Él insistió.

–Túmbate.

Laura no le hizo caso. Bishop estuvo a punto de obligarla por su propio bien, pero se contuvo e intentó razonar con ella.

–Mira, sé que te sientes con fuerzas, pero...

–Pensé que me había quedado embarazada –lo interrumpió.

Bishop se llevó tal sorpresa que se mareó y se tuvo que sentar en la cama.

–¿Cómo? –acertó a preguntar.

–Estaba muy contenta, pero también preocupada. No sabía lo que dirías al saberlo.

Él sintió un dolor en el pecho y un vacío espantoso en su interior. No podía pasar otra vez por aquello.

–Escucha, Laura... No estás embarazada de mí. No puedes estarlo.

–Bueno, sé que siempre usamos preservativos, pero no es un método seguro al cien por cien –afirmó ella.

Bishop pensó que se encontraba peor de lo que había imaginado y consideró la posibilidad de decirle la verdad. De haber estado en su caso, él lo habría preferido; además, no quería que se sintiera una estúpida más tarde. No podía estar embarazada de él porque habían pasado casi dos años desde su último encuentro amoroso.

Cerró los ojos un momento y se resistió al deseo de tomarla entre sus brazos. Se acordó del día en que se conocieron, de su luna de miel, de su boda, de todo lo que compartieron hasta que su amor se fue apagando.

–No estás embarazada –repitió al fin.

Ella asintió.

–Ya lo sé. El médico me lo ha dicho. Pero cuando creí que llevaba un bebé en mi vientre, me di cuenta de que...

Laura dejó de hablar.

–¿De qué te diste cuenta?

–Bishop, quiero tener un hijo. Sé que existe el peligro de que herede mi enfermedad cardíaca, pero debemos tener fe.

Bishop se estremeció. Habían mantenido esa misma conversación dos años antes, cuando su relación ya se había empezado a romper.

–Discúlpame, Bishop. No debería habértelo dicho de un modo tan repentino.

Él sacudió la cabeza y se levantó. Necesitaba estar solo para pensar. La situación empeoraba por momentos.

–¿Quieres que te traiga alguna cosa? –preguntó–. ¿Necesitas algo?

Ella se puso en pie, llevó una mano a su pecho y contestó:

–Sólo necesito una cosa. Que me beses.

Capítulo Dos

Bishop la miró a los ojos y comprendió que aquella Laura estaba sinceramente enamorada de él; pero era consciente de que no estaba en sus cabales y se apartó de ella enseguida, aunque no sin dificultad.

Rechazar su afecto fue una de las cosas más difíciles que había hecho en su vida; durante la última época de su matrimonio, Bishop habría dado cualquier cosa por conseguirlo, pero Laura se lo había negado. Definitivamente, tenía que ser cauteloso; si se dejaba llevar, se vería arrastrado al abismo en el que había caído su exmujer.

–Laura, éste no es el momento más oportuno –declaró.

–¿El momento más oportuno? –preguntó ella, desconcertada–. No lo entiendo... Somos pareja; nos besamos todo el tiempo.

Al contemplar su angustia, Bishop cometió el error del acariciarle un brazo. Automáticamente, sintió una oleada de calor que activó todas sus alarmas.

Apretó los dientes, dio otro paso atrás y dijo:

–Voy a hablar con el médico.

–¿Sobre la prueba de embarazo?

A él se le hizo un nudo en la garganta.

–Sí, sí... claro. Sobre la prueba de embarazo.

Salió de la habitación, se dirigió al mostrador de las enfermeras y preguntó por el médico de Laura. Las enfermeras señalaron a un hombre de bata blanca que en ese momento desaparecía por uno de los corredores laterales. Bishop salió tras él y lo alcanzó.

–Doctor...

El médico, de mediana edad, se detuvo y lo miró.

–¿Sí?

–Soy Samuel Bishop. Tengo entendido que lleva el caso de Laura Bishop...

–En efecto. ¿Usted es su esposo?

–Algo parecido.

El médico sonrió y lo llevó a un aparte para que nadie oyera la conversación.

–Encantado de conocerlo, señor Bishop. Soy el doctor Stokes –se presentó–. Como ya habrá observado, Laura padece amnesia.

–¿Será temporal?

–Eso depende. En este tipo de casos, la gente recupera la memoria poco a poco; pero hay excepciones...

–¿Excepciones? –preguntó con preocupación.

El doctor Stokes asintió.

–De todas formas, las pruebas indican que su esposa no tiene fracturas ni contusiones. Puede marcharse a casa ahora mismo, aunque tal vez prefiera pasar la noche en el hospital... Decidan lo que decidan, despiértela cada tres horas cuando se quede dormida y pregúntele cosas sencillas, como su nombre y la dirección donde viven, para asegurarse de que se mantiene estable.

Bishop se rascó la cabeza.

–Me temo que hay un problema, doctor... Ya no soy su marido.

El doctor arqueó las cejas.

–¿Que no es su marido? Pero su cuñada ha dado a entender que...

–Mi excuñada –puntualizó.

El médico lo miró con simpatía al comprender lo sucedido. Se metió las manos en los bolsillos de la bata y declaró:

–La memoria es caprichosa... Les recomiendo que le enseñen fotografías cuando crean que esté preparada; estoy seguro de que tardará poco en recordar los acontecimientos más recientes.

Stokes pareció a punto de decir algo más, pero se contuvo y se limitó a despedirse.

–Buena suerte, señor Bishop.

Justo entonces, el teléfono móvil de Bishop empezó a vibrar. Lo sacó y echó un vistazo a la pantalla. Era un mensaje de Willis McKee, su mano derecha en el trabajo; decía que tenían un comprador y que necesitaba hablar con él cuanto antes.

Bishop se llevó una buena sorpresa. Bishop Scaffolds and Building Equipment estaba en venta desde la semana anterior, pero pedía varios millones de dólares por ella y no imaginaba que encontraría un comprador en tan poco tiempo.

Su vida estaba cambiando muy deprisa. Primero se había divorciado y ahora estaba a punto de librarse de su empresa. Además, estaba saliendo con una mujer encantadora; sólo llevaban un mes y no iban muy en serio, pero se divertía mucho con ella.

Entre otras cosas, porque Annabelle no pedía imposibles.

Se guardó el teléfono y volvió a considerar sus opciones.

Por una parte, no se podía marchar; por otra, no se podía quedar. Tenía un problema sin solución aparente. Un problema que empeoró segundos después, cuando alguien lo tocó en el hombro y resultó ser Grace.

–Supongo que ya lo sabes –dijo ella.

Él la miró con recriminación.

–Sí. Gracias por advertírmelo –ironizó.

–¿No recuerda nada de nada?

–Laura cree que nos acabamos de casar. De hecho, piensa que hoy es nuestro aniversario de boda.

–¿Y cómo lo vais a celebrar?

–No te pases de lista, Grace.

Bishop se dirigió a la habitación de Laura. Sabía que tendría que hablar con Grace más tarde o más temprano, pero de momento necesitaba poner tierra de por medio. Si se quedaba allí, era capaz de estrangularla.

Mientras se alejaba, pensó que librarse de Grace había sido lo mejor de su divorcio. La hermana de Laura era una mujer dominante que siempre se metía donde no la llamaban y que tenía la mala costumbre de intentar controlar a todo el mundo. Bishop sabía que algunas personas pensaban lo mismo de él; pero su caso era diferente: tenía un negocio que dirigir; gente que dependía de sus decisiones.

–Aún pienso que podrías salvar vuestro matrimonio.

Bishop se detuvo en seco. Después, se dio la vuelta y apretó los puños.

–¿Qué diablos quieres decir, Grace? En primer lugar, ya no estoy casado con Laura. Y en segundo, ¿pretendes convencerme de que quieres que vuelva con ella? Antes de creer eso, creería en los Reyes Magos.

De haber podido, Bishop la habría agarrado de los brazos y le habría dado una buena sacudida, aunque sólo fuera para destrozar su imagen perfecta; pero el hospital estaba lleno de gente y no quería llamar la atención.

–Sólo quiero que Laura sea feliz –se defendió.

–¿Y lo dices ahora? Siempre te opusiste a nuestro matrimonio.

–No me opuse a vuestro matrimonio; me opuse a que os casarais tan deprisa. Los dos necesitabais tiempo para pensar –afirmó–. Era una decisión demasiado importante para tomarla a la ligera.

–Y no dejaste de repetirlo desde entonces.

Grace ladeó la cabeza y preguntó:

–¿No has considerado la posibilidad de aprovechar esta ocasión para hacer las cosas de otra forma? Para escuchar a mi hermana; para intentar entender.

Bishop se limitó a mirarla fijamente. Una vez más, Grace retorcía la realidad y hablaba de lo que no sabía. A fin de cuentas, ella no había estado en su casa durante aquellos tiempos turbulentos.

Bishop había hecho todo lo que estaba en su mano. Lo había hecho desde el principio, cuando Laura declaró un buen día que había cambiado de opinión y que quería tener un hijo propio en lugar de adoptar al hijo de otra. La escuchó y le prestó atención; pero no sirvió de nada. Su matrimonio no se rompió porque él se portara mal con ella, sino porque ella tomó una decisión equivocada y provocó el final.

Al darse cuenta de que Bishop no iba a responder, Grace suspiró y dijo:

–Ya me he despedido de Laura. Cuida bien de ella.

Grace se alejó por el pasillo y él estuvo a un tris de llamarla a gritos y recriminar su actitud. Era verdaderamente paradójico que lo acusara de haber sido un mal marido y que abandonara a su propia hermana cuando la necesitaba más.

Sin embargo, Bishop no intentó detenerla. Se sentía bastante incómodo con Laura, pero se habría sentido peor si Grace se hubiera quedado en el hospital.

Le gustara o no, tendría que afrontar el problema.

Resignado, volvió a la habitación. Laura estaba junto a la ventana, con los brazos cruzados. Al sentir su presencia, se dio la vuelta y lo miró.

–He hablado con el médico –dijo él.

–¿Y?

Bishop tardó un momento en responder. El doctor había dicho que existía la posibilidad, aunque fuera remota, de que no recobrara la memoria; de ser así, su accidente se podía convertir en una segunda oportunidad para ellos.

Pero él ya no estaba enamorado de Laura. Su amor era cosa del pasado.

Se acercó a ella y le ofreció una mano. Los ojos de su exmujer brillaron con esperanza.

–Vístete –dijo con una sonrisa débil–. El médico ha dicho que nos podemos marchar.

Una hora después, mientras circulaban por la familiar y sinuosa carretera de montaña, Laura miró por la ventanilla y sonrió.

Deseaba bajar el cristal y sentir el viento fresco en la cara. Por algún motivo, aquel cielo despejado y aquellos bosques interminables de pinos y eucaliptos le parecieron más hermosos que nunca.

Siempre le había gustado aquella zona de las Montañas Azules. La adoraba desde que Bishop la llevó a su casa, apenas dos semanas después de que se conocieran. Y ahora no se imaginaba viviendo en otro lugar; ni con otro hombre.

Giró la cabeza y miró a Bishop.

Aquella tarde parecía distinto. Al principio, lo atribuyó al cansancio del trabajo o a su preocupación por ella; pero después llegó a la conclusión de que se mostraba distante porque no quería hablar del problema que había planteado en el hospital. Bishop no quería discutir sobre la decisión que habían tomado juntos antes de la boda: la decisión de adoptar un niño y renunciar a tener hijos propios, por miedo a que heredaran su dolencia cardíaca.

Laura no las tenía todas consigo. No era precisamente un ama de casa tradicional; tenía una licenciatura de Literatura e Historia, pero quería tener su propia familia y nunca se había planteado la posibilidad de adoptar al hijo de otra mujer. Sin embargo, también quería que su hijo gozara de buena salud, de modo que aceptó la idea de la adopción como mal menor.

Más tarde, con el transcurso del tiempo, cambió de idea y pensó que habían sido demasiado cautelosos. No era absolutamente seguro que sus hijos heredaran su dolencia; y si la heredaban, la ciencia ofrecía soluciones que, en la mayoría de los casos, les permitirían llevar una vida normal.

Además, quería intentarlo mientras tuviera la posibilidad. Quería tener un hijo propio, un hijo de su sangre. Desde el punto de vista de Laura, el riesgo merecía la pena.

Justo entonces, pasó una mano por el reposabrazos del coche y se dio cuenta de algo que no había notado porque estaba sumida en sus pensamientos.

–¿Te has comprado un coche nuevo?

Bishop no apartó los ojos de la carretera.

–Sí. Willis cerró un acuerdo con el fabricante y lo aproveché.

–¿Willis? ¿Quién es Willis? Nunca has mencionado a ningún Willis...

–¿Ah, no? Es mi ayudante... mi ayudante nuevo.

–¿Y qué le ha pasado a Cecil Clark? Dijiste que era un profesional excelente. Y me pareció una gran persona cuando me lo presentaste el mes pasado en aquella fiesta.

–Bueno... es que recibió una oferta laboral que le interesó.

–¿Y no hiciste una contraoferta?

–A veces hay que permitir que la gente siga su camino –respondió él en voz más baja.

Bishop detuvo el vehículo al llegar a la casa; pero en lugar de dejarlo en el garaje, lo dejó en el vado.

La casa era una mansión enorme. Estaba situada en lo alto de una colina y combinaba un exterior de estilo tradicional con un interior lleno de lujos y de instalaciones modernas, incluido un gimnasio completamente equipado y una piscina cubierta.

Los domingos, Laura servía huevos a la benedictina en la terraza de poniente y disfrutaban de la puesta de sol en las montañas. Pero el placer de las vistas no se acercaba ni remotamente al que sentía después de tomar el café, cuando se acostaban en la cama y se entregaba a su insaciable marido.

Laura se llevó una mano a la venda de la cabeza e intentó recordar si habían repetido aquel ritual el domingo anterior, pero no pudo.

Aún lo estaba pensando cuando Bishop, que había salido del coche, se acercó a su portezuela y la abrió. Caminaron juntos hasta la entrada principal; él se llevó las manos al bolsillo y sacó las llaves, pero carraspeó y dijo:

–Vaya... debo de tener las llaves de la casa en el otro juego.

–No te preocupes. Yo tengo las mías.

Laura abrió el bolso y se puso a buscar hasta que, de repente, palideció.

–¡Mis anillos! La enfermera me los debe de haber quitado para hacerme las pruebas... Deberíamos volver al hospital.

Naturalmente, Bishop sabía que la enfermera no le había quitado ni el anillo de boda ni el de compromiso. No se los había quitado porque Laura no los llevaba puestos cuando ingresó.

–Descuida, ya me ocuparé yo –dijo–. Ahora tienes que descansar.

Ella estuvo a punto de decir que había descansado más de lo necesario; pero de repente, se sintió débil y pensó que una siesta le vendría bien.

Una siesta en compañía de su esposo.

–Tú también deberías descansar...

–Yo no soy quien se ha caído y se ha pegado un golpe en la cabeza, Laura –le recordó.

Al oír sus palabras, tan frías como distantes, ella sintió angustia. Sin embargo, supuso que se portaba de esa manera porque los médicos le habían aconsejado descanso y no quería complicar su recuperación.

Lo tomó de la mano, se acercó a él y declaró con voz seductora:

–¿Sabes una cosa? No hay nada que me relaje más que hacer el amor con mi marido.

Él la miró de forma extraña.

–Vamos dentro –dijo–. Te serviré una copa.

–¿Champán? –preguntó ella–. A fin de cuentas, es nuestro aniversario.

–No, tendremos que dejar el champán para otro día. De momento, sólo puedes elegir entre un té caliente o uno frío.

Capítulo Tres

Cuando Laura se acostó, Bishop se sintió profundamente aliviado.

Su exmujer lo había presionado otra vez para que se acostara con ella, pero él se las había arreglado para quitársela de encima. Sólo esperaba que recobrara la memoria cuanto antes, porque la situación se estaba complicando por momentos.

Era obvio que, en la mente de Laura, seguían casados; y también era obvio que Laura lo deseaba. Pero Bishop no estaba tan preocupado por ella como por él mismo; lejos de haberlo superado, su cuerpo reaccionaba con deseo ante la posibilidad de tocar su cuerpo desnudo y de hacerla suya.

Ahora, por fin solo, se pasó una mano por el pelo y echó un vistazo a la casa. Todo estaba como siempre; incluida la chimenea junto a la que habían hecho el amor en tantas ocasiones.

Necesitaba marcharse de allí. Lo deseaba con todas sus fuerzas.

Si su exmujer no había recuperado la memoria para el lunes, alegaría un viaje de negocios y contrataría los servicios de una enfermera para que la cuidara. Pero hasta entonces, estaba atrapado.

Como no tenía nada que hacer, decidió aprovechar las circunstancias para trabajar un poco.

Volvió al coche, sacó el ordenador portátil y se dirigió a su antiguo despacho, con su sillón rojo, su mesa de palisandro y la fotografía de Laura encima de la mesa.

Le extrañó que todo estuviera como lo había dejado. Siempre había pensado que su exmujer habría destrozado el lugar tras el divorcio.

Al pensar en ello, se acordó del asunto de los anillos. No sabía dónde estaban, pero se dijo que Laura recobraría la memoria en cualquier momento y que dejarían de ser un problema.

Se sentó en el sillón, encendió el ordenador y se conectó al servidor de su empresa para echar un vistazo a los proyectos más recientes. Bishop era ingeniero y disfrutaba mucho con las nuevas máquinas. Además, no era un jefe normal y corriente; se consideraba un trabajador más, un miembro más de una plantilla de profesionales altamente capacitados.

Desgraciadamente, dirigir una empresa en Australia era muy complicado. El valor de la moneda y los salarios de otros países, mucho más bajos, dificultaban las exportaciones. Aun así, Bishop estaba convencido de que saldrían adelante hasta poco después de su divorcio, cuando se dio cuenta de que, si fracasaba con algo tan importante para él como su matrimonio, también podía fracasar con la empresa.

Recogió el correo e intentó concentrarse en el trabajo, pero no pudo. Una y otra vez, su imaginación lo traicionaba. Veía a Laura desnuda, con su melena cayendo sobre el almohadón. Veía sus pechos subiendo y bajando mientras respiraba. Veía su boca perfecta y deseaba besarla.

Gimió, cerró el ordenador y miró el techo.

Él no había querido el divorcio. Había hecho todo lo posible por salvar su relación. Pero la idea de Grace era descabellada; no podía tener una segunda oportunidad con Laura.

Estaba allí porque no tenía más remedio. En algún momento, ella recobraría la memoria y los dos podrían olvidar lo sucedido y seguir adelante con sus vidas.

Por separado.

Laura despertó con una angustia en el pecho. La habitación estaba en silencio, a oscuras, y el reloj de la mesita marcaba las dos y cuatro minutos de la noche.

Sintió un frío repentino y se tapó hasta el cuello, pero entonces se acordó de Bishop y se dio la vuelta para apretarse contra él. Sin embargo, Bishop no se encontraba allí; su espacio estaba vacío.

Extrañada, se levantó, se puso una bata y salió al pasillo. Vio luz en el despacho y pensó que se habría quedado trabajando, pero lo encontró dormido en el sofá. Se había quitado los pantalones y los zapatos y tenía la camisa abierta.

Mientras lo miraba, tuvo una sensación muy particular; sólo habían transcurrido unas horas desde que se acostó, pero añoraba a Bishop como si no se hubieran visto en varios años.

Deseó acercarse, quitarse la bata y seducirlo; estaba segura de que se rendiría a sus encantos a pesar de las recomendaciones del doctor. Pero no tuvo ocasión de hacerlo, porque él despertó de repente y se sentó en el sofá con un gesto brusco, como si hubiera tenido una pesadilla.

Cuando la vio, entrecerró los ojos, se frotó la mandíbula y dijo:

–Es tarde. Vuelve a la cama.

–Volveré si vienes conmigo.

Él la miró un momento y señaló la mesa.

–Dentro de unos minutos. Tengo que terminar una cosa.

Laura cruzó la habitación y se sentó a su lado.

–No podemos posponerlo eternamente, Bishop.

–¿Posponerlo? ¿De qué estás hablando?

–Tenemos que hablar.

Ella le puso una mano en la pierna, pero él se la apartó.

–No quiero hablar en mitad de la noche...

–Sólo será un momento.

Bishop no dijo nada.

–Cuando tuve edad suficiente para entender las consecuencias de mi enfermedad cardíaca –continuó ella–, me sentí... distinta. Mis padres ya se habían asegurado de que fuera consciente de mis limitaciones. Recuerdo que, en cierta ocasión, mi profesora de gimnasia me pidió que participara en una carrera... cuando mi padre lo supo, se enfadó tanto que habló con el director del colegio y exigió que la profesora le presentara una disculpa.

Bishop frunció el ceño.

–¿Por qué me cuentas eso ahora?

–Porque quiero que entiendas que sé perfectamente lo que te estoy pidiendo, lo que me estoy pidiendo a mí misma y lo que significa para los hijos que tengamos.

Él sacudió la cabeza.

–Laura, no sé qué hora es, pero debe de faltar poco para las tres de la madrugada...

–En el instituto me sentía sola a veces –siguió hablando, sin hacerle caso–. No podía correr en exceso ni salir a montar a caballo. Ya sabes que los niños son extraordinariamente crueles... algunos me llamaban *la lisiada*.

–Si yo hubiera estado allí, habrían tenido un problema –dijo Bishop.

–También tenía buenas amigas. Amigas que despreciaban a las chicas que humillaban a las demás para sentirse mejor... Luego me fui a la universidad y descubrí que yo era como los demás, una persona normal y corriente. Y cuando terminé la licenciatura, te conocí.

Él sonrió de oreja a oreja.

–Cómo olvidarlo... recuerdo que estuvimos hablando toda la noche.

Ella también sonrió.

–En efecto. Y yo recuerdo que, ocho semanas y un día después, me propusiste que me casara contigo –declaró–. Cuando te conté mi secreto y le quitaste importancia, me hiciste tan feliz que me mostré de acuerdo en renunciar a la maternidad y adoptar un niño. Pero lo deseaba tanto que no dejé de pensar en ello.

Bishop carraspeó.

–Ya hablaremos mañana –dijo.

Laura se llevó una mano a la venda y asintió porque estaba ligeramente mareada y porque ya había conseguido su objetivo inicial. Podían dejar los detalles para la mañana siguiente. Estaba segura de que su esposo entraría en razón y entendería que necesitaba tener hijos propios.

Se levantó del sofá y preguntó:

–¿Vienes conmigo? A no ser que prefieras seguir con la conversación...

Bishop también se levantó.

–Voy contigo. Pero recuerda que tienes que descansar.

Cuando llegaron a la cama, ella se quitó la bata con absoluta naturalidad y se tumbó. Él sólo tenía que quitarse la camisa y los calzoncillos, pero tardaba tanto que se giró hacia él y dijo con humor:

–Te prometo que no te violaré.

Segundos más tarde, Bishop se tumbó a su lado, la miró a los ojos y le apartó un mechón de pelo de la cara.

–Yo también te lo prometo.

El canto de los pájaros despertó a Bishop, que gimió y se llevó una sorpresa cuando abrió los ojos. Estaba en la casa de la colina, tumbado junto a Laura.

Al sentir su presencia, se excitó de inmediato. Recordó los acontecimientos del día anterior y maldijo su suerte. Obviamente, Laura intentó seducirlo en cuanto se acostaron; pero mantuvo su promesa y se negó a tocarla.

Había sido una tortura para él. Aunque no hicieron el amor, sentía el calor de su cuerpo y notaba su aroma. Tardó un buen rato en dormirse, y ahora tenía el mismo problema; se encontraba atrapado entre el deseo y la necesidad de mantener las distancias.

Desesperado, se levantó y se empezó a vestir, lo cual le recordó que no tenía ropa para pasar el fin de semana. Podía salir de compras, pero faltaban dos horas para que las tiendas abrieran.

Minutos después, entró en el despacho y comprobó los mensajes. Willis había vuelto a llamar, de modo que salió al porche y marcó su número mientras se preguntaba qué diablos estaba haciendo allí. Laura ya no era la mujer de la que se había enamorado. De hecho, Laura era una mujer que había perdido la memoria.

–¿Dígame?

–Hola, Willis, soy yo.

–Ya era hora de que aparecieras... ¿Dónde estás? ¿En la oficina?

–No, pero estoy cerca. Me ha surgido un pequeño problema.

–Espero que ya esté solucionado...

–No, pero lo estará el lunes.

–Me alegro, porque tenemos un comprador que quiere hablar contigo.

Willis le dio los detalles de la oferta y Bishop asintió.

–Me parece un acuerdo razonable.

–¿Razonable? ¿Sólo razonable? Pensé que te alegraría mucho...

–Y me alegra. Pero francamente, no esperaba que surgiera una posibilidad tan pronto.

–Esto no es una posibilidad, es un hecho. El intermediario ha dicho que la empresa interesada es nada más y nada menos que Clancy Enterprises.

Bishop soltó un silbido de admiración.

–¿Clancy Enterprises? Ya poseen la mitad de las empresas de la Costa Este...

–En efecto. Estamos hablando de gente con mucho dinero –le recordó–. Deberíamos aceptar su oferta con rapidez.

–¿Con cuánta rapidez?

–Con toda. Si yo estuviera en tu lugar, firmaría de inmediato.

Willis siguió hablando, pero Bishop perdió el hilo de la conversación porque Laura apareció en ese momento y le puso una mano en el hombro.

–Oh, lo siento... no sabía que estabas hablando por teléfono.

–No pasa nada.

–¿Bishop? ¿Sigues ahí?

–Sí, claro, sigo aquí. Te llamaré más tarde, Willis.

Bishop cortó la comunicación y se giró hacia Laura, que se había puesto una bata de color rosa.

–Debe de ser algo urgente para que llames a una hora tan temprana...

–Es algo importante, pero no te preocupes por eso.

Ella lo miró y frunció el ceño.

–¿Por qué llevas la misma ropa de ayer? Cualquiera diría que no tienes ropa suficiente –comentó con humor.

Él no supo qué decir. Su ropa ya no estaba en la casa. Ellos ya no estaban casados. Y justo entonces, se le ocurrió que aquel problema menor podía ser la solución que buscaba: cabía la posibilidad de que, cuando Laura viera su armario vacío, recobrara la memoria sin necesidad de entrar en explicaciones.

La llevó al dormitorio y suspiró antes de abrir la puerta del armario.

Debía hacerlo. No tenía otra opción.

Por fin, sacó fuerzas de flaqueza y abrió. Pero no encontró lo que esperaba. Toda su ropa estaba allí. Las camisas, los trajes, los vaqueros, todo.

Frunció el ceño y pensó que aquello no tenía ni pies ni cabeza. No entendía que Laura se hubiera divorciado de él y hubiera guardado su ropa; daba por sentado que la habría quemado o que se la habría regalado a alguien.

–¿Necesitas que te ayude? –preguntó ella.

Laura se acercó, le puso las manos en los brazos y le dio un beso en el hombro.

–Aunque si lo prefieres, podemos quedarnos desnudos... –continuó.

Él se estremeció y se apartó a toda prisa.

–Puedes llegar a ser muy persuasiva –comentó.

–Y tú te estás muriendo por dejarte persuadir.

De repente, Laura se puso de puntillas y lo besó. Bishop intentó romper el contacto, pero no pudo. Necesitaba tomarla, saborearla una vez más.

Sus labios sabían como siempre, su piel era tan suave como siempre y él la deseaba tanto como siempre. Instintivamente, llevó la mano a uno de sus senos y le acarició el pezón mientras devoraba su boca. Ella ya le estaba quitando la camisa, pero al sentir la caricia de sus dedos, se detuvo y se frotó contra él, provocándolo.

Bishop llevó la mano libre a la entrepierna de Laura y notó su humedad. Llevaba un negligé debajo de la bata, pero sin braguitas.

–Eres tan dulce...

–Hazme el amor, Bishop –murmuró.

–No sabes cuánto me gustaría.

–Oh, sí, por supuesto que lo sé.

Bishop notó la sonrisa de Laura contra sus labios en el preciso momento en que ella bajó una mano a su cintura.

Estaba a punto de olvidar que aquello no era real. Estaba a punto de arrojarla sobre la cama y disfrutar a fondo de lo que le ofrecía.

Sin dejar de abrazarla, respiró hondo y recobró el sentido común.

–Creo que deberíamos parar.

Ella le mordió el labio inferior.

–Deja de pensar tanto, Bishop.

Él apretó los dientes e insistió con debilidad.

–Pero el médico ha dicho que...

–No me importa lo que el médico haya dicho.

–Escúchame, por favor. No podemos seguir adelante.

Ella dejó de besarlo. Ladeó la cabeza y lo miró en silencio, durante unos segundos, antes de volver a hablar.

–¿Por qué? ¿Porque crees que te pediré que lo hagamos sin preservativo? ¿Crees que quiero quedarme embarazada ahora?

Bishop no estaba pensando precisamente eso, pero no se molestó en negarlo; a fin de cuentas, era una excusa tan válida como otra cualquiera.

–Tranquilicémonos un poco, Laura. Nos podemos dar una ducha y...

Los ojos de Laura brillaron.

–Excelente idea.

–No, yo me refería a una ducha por separado. Además, también tenemos que comer... supongo que estarás hambrienta. Y después...

–¿Después?

–Hablaremos de tu embarazo –le prometió.

No fue una promesa vana. A Bishop se le acababa de ocurrir que, si había una conversación capaz dc devolverle la memoria, esa conversación era la de quedarse embarazada y tener hijos propios.

Capítulo Cuatro

Treinta minutos después, Laura pegó un grito tan terrible en el dormitorio que a Bishop se le erizaron los pelos de la nuca.

Se levantó a toda prisa, abrió la puerta corredera de cristal y cruzó el vestíbulo, preguntándose qué podía haber sucedido. Había dejado a su exmujer en la ducha y había ido al despacho con intención de comprobar unos detalles del presupuesto de su empresa, pero cambió de opinión y decidió echar un vistazo a la piscina exterior para asegurarse de que estaba limpia, porque sabía que a Laura le encantaba bañarse.

Lo hizo por matar el tiempo mientras esperaba. Sabía que Laura habría contratado a alguien para que la limpiara de vez en cuando. Al fin y al cabo, el dinero no era un problema; Grace y ella habían recibido una herencia más que generosa tras la muerte de sus padres, y por si eso fuera poco, él le pasaba una pensión y le había dejado la casa y las tierras.

Subió por la escalera a toda prisa. Sólo se le ocurría que se hubiera caído o que hubiera encontrado una araña o una serpiente, aunque le extrañaba; sabía que Laura no tenía miedo de esas cosas. Pero también cabía la posibilidad de que hubiera recobrado la memoria.

Se encontraron en el pasillo del piso superior, justo delante del despacho. Tenía la cara ligeramente colorada y se había puesto unos pantaloncitos cortísimos que mostraban unas piernas morenas, largas y muy tentadoras.

–¡Los he encontrado! ¡Los he encontrado!

Bishop la agarró por los brazos.

–Tranquilízate un poco. ¿Qué has encontrado?

–¡Esto!

Laura sacudió una mano delante de su cara y le enseñó el anillo de compromiso y el anillo de bodas.

–Debí de quitármelos antes de ir al hospital –continuó–. Aunque no estoy segura de por qué... no recuerdo nada de nada.

Bishop suspiró. Ni se había caído otra vez ni había encontrado ningún animal venenoso. Sólo eran los malditos anillos.

–Bueno, no te preocupes por eso.

Él lo dijo para restarle importancia, aunque era más importante de lo que Laura podía imaginar. El médico había comentado que recobraría la memoria poco a poco; pero su estado no había mejorado en absoluto.

–Deberías llevar tu anillo, Bishop. Comprendo que no te lo pongas cuando estás trabajando en la empresa porque se podría perder... pero es fin de semana y no puede pasar nada malo. Aquí sólo estamos tú y yo.

Bishop se estremeció. Justo antes de divorciarse, se había dejado llevar por un pronto y había tirado su anillo de casado al fuego; suponía que se habría derretido, pero suponía mal: súbitamente, Laura abrió el puño de la mano derecha y le enseñó su contenido.

Era su anillo.

Él se quedó perplejo. No entendía nada.

–¿Dónde estaban? –acertó a preguntar.

–En la caja de mis joyas, como siempre.

Bishop volvió a mirar el anillo, intentando encontrar la solución al enigma. Sin embargo, había una explicación muy sencilla. Era evidente que no se había derretido y que Laura lo habría encontrado entre las cenizas de la chimenea.

–¿No te lo vas a poner? –preguntó.

Bishop abrió la boca con intención de darle una negativa. El destino los había puesto en una situación imposible, pero estaban divorciados aunque ella no lo recordara. Aquello había ido demasiado lejos.

Justo entonces, se acordó de las palabras de Grace y se contuvo. La idea de tener una segunda oportunidad con Laura le había parecido una locura la noche anterior; pero tras pasar la noche con ella, ya no estaba tan seguro.

Al final, asintió y permitió que le pusiera el anillo.

–¿Qué quieres que hagamos hoy?

Bishop la miró a la cara.

–No lo sé. ¿Has pensado algo?

–Podrías enseñarme a jugar al ajedrez. Me lo prometiste.

Era verdad que se lo había prometido. Y había cumplido su promesa. De hecho, Laura aprendió más deprisa de lo que había imaginado.

Se preguntó si su amnesia también afectaría a los movimientos y estrategia del ajedrez y preguntó:

–¿Qué sabes sobre el juego?
–Que tiene alfiles.
Él rió.
–Cierto.
–Y que las blancas mueven primero.
–También es cierto.
Bishop la llevó a la mesa, sacó el tablero de ajedrez y se sentaron. Cabía la posibilidad de que Laura recordara el juego de forma inconsciente; y si se acordaba de jugar al ajedrez, también cabía la posibilidad de que recordara otras cosas.
–Esto es un peón, ¿verdad?
–Sí. Sólo se puede mover un espacio por turno.
–Y sólo se mueve hacia delante...
–Excepto cuando va a comer otra pieza; entonces, se mueve en diagonal.
Laura soltó una carcajada.
–Bishop, eso lo sabe todo el mundo...
–¿Tú crees? ¿Y qué más sabes tú?
–Sé que la torre se mueve en cruz, que el caballo es la pieza más bonita del tablero y que la reina es la más poderosa de todas.
Bishop se recostó en la silla.
–En efecto. Aunque no se puede decir que tus afirmaciones sean muy técnicas...
–¿Es tan difícil de jugar como dicen?
–No, sólo es difícil de jugar si no eres capaz de prever los movimientos de la otra persona –respondió.
Bishop pensó en el juego que Laura y él habían jugado durante su matrimonio, desde el día que ella cambió de opinión sobre los hijos hasta el día

en que le pidió el divorcio. Siempre se había tenido por un hombre capaz de prever los acontecimientos; pero al parecer, perdía esa capacidad con sus relaciones amorosas.

–¿Prever los movimientos? ¿Cómo se hace eso? –preguntó ella.

Bishop puso un dedo en la reina negra y contestó:

–Con práctica y con suerte. Y a veces, por casualidad.

Bishop recibió una llamada telefónica cuando estaban jugando la primera partida, de modo que Laura decidió aprovechar la ocasión para levantarse y estirar un poco las piernas.

Se dirigió a la cocina, se sirvió un vaso de agua fría y pensó que no tardaría en convertirse en un ajedrecista medianamente digna, capaz de enfrentarse a Bishop y de suponer un desafío para él. Ya tenía bastante experiencia con las cartas; de niña había pasado largas temporadas en los hospitales y se dedicaba a jugar con las enfermeras y con otros niños para matar el tiempo. Pero hasta el incidente del día anterior, no había pisado un hospital en varios años; como se estaba medicando, ya no tenía problemas de salud.

Había heredado la dolencia de su madre, una de cuyas hermanas había fallecido de infarto cuando era muy joven. Sin embargo, Laura sospechaba que en la opinión de Bishop sobre la adopción también pesaba su propia experiencia familiar.

Bishop había tenido un hermano gemelo que murió. Laura sabía que se sentía culpable por ello y había intentado que le abriera su corazón, pero se negaba en redondo. Al principio, pensó que Arlene y George Bishop lo habrían traumatizado por el dolor de la pérdida, pero no tardó en comprobar que eran encantadores y que lo adoraban. Su relación era todo lo buena que podía ser; casi tan buena como la que Grace y ella mantenían.

Sin embargo, Laura se había preguntado más de una vez si su relación con Grace no era excesivamente estrecha. Cuando sus padres murieron y se quedaron solas, establecieron un nexo que iba más allá de lo habitual entre hermanas; de hecho, Bishop pensaba que Grace tenía demasiada influencia sobre su vida. Pero no podía ser de otra forma.

Si el hermano de Bishop hubiera sobrevivido, quizás habría entendido mejor su conexión. Desgraciadamente, había muerto. Y cabía la posibilidad de que lo extrañara más de lo que él mismo imaginaba.

Se bebió el agua y volvió al salón, pero Bishop seguía al teléfono y Laura decidió salir a tomar el aire.

En el exterior, la luz del sol daba un tono dorado a los árboles del bosque. Hacía calor, de modo que se quitó el jersey y se dedicó a observar a un koala que estaba encaramado a un árbol, a poca distancia de la pasarela de la que se había caído el día anterior.

Seguía sin recordar nada, pero pensó que pasaría mucho tiempo antes de que la volviera a cruzar y se preguntó qué estaría haciendo tan cerca del borde. Quizás había visto un lagarto y se había asustado; o quizás se había resbalado con el rocío de la mañana.

De repente, vio una imagen. Duró poco más de un segundo y se desvaneció al instante, pero fue suficiente para que recordara el dolor intenso de la caída.

Se llevó las manos al estómago y cerró los ojos con fuerza. Cuando los volvió a abrir, su frente estaba cubierta de sudor.

Asustada, dio media vuelta y se dirigió al cenador. Bishop apareció un segundo después.

–No te encontraba por ninguna parte. Me has asustado...

–Es que he salido a dar una vuelta. Estabas hablando por teléfono y parecía importante... no te quería molestar.

Bishop apretó los dientes y declaró:

–Estoy pensando en vender la empresa.

Laura se quedó atónita. No podía creer que quisiera venderla. Siempre había sido la niña de sus ojos.

–¿Venderla? ¿Por qué? –preguntó–. ¿Qué ha pasado?

–Nada. Es una idea que me ronda la cabeza desde hace tiempo –resumió.

–¿Tienes problemas de dinero?

Él empezó a caminar por un sendero flanqueado de espliego.

–No, no es por eso; es que me gustaría hacer algo distinto.

–¿Y vas a pasar más tiempo fuera de casa? Si es necesario, sobra decir que lo comprenderé... pero me gustaría saberlo. Precisamente estaba pensando en tener un perro; así me haría compañía cuando tú no estás.

Él asintió lentamente.

–Me parece una idea magnífica.

–¿En serio?

Bishop sonrió.

–Por supuesto. Si quieres, lo buscaremos juntos.

Laura le pasó los brazos alrededor del cuello y le besó con una alegría desbordante.

–Pensé que no querrías tener un perro...

–¿Por qué? Los perros me encantan –le recordó–. Pero ¿qué nombre le pondrás?

Ella lo miró con humor.

–Bueno, primero tendremos que saber si es macho o hembra, ¿no te parece? Será el primer miembro de nuestra familia...

Cuando llegaron al cenador, Bishop se sentó en el banco y ella se acomodó a su lado y le apartó un mechón de la cara. Él se había quedado muy serio, y Laura supuso que se debía a su mención de la familia.

–Bishop, no quiero que te preocupes por lo que pueda salir mal. Siempre hay que pensar en positivo.

Él apartó la mirada y ella se mordió el labio y sopesó cuidadosamente sus palabras antes de pronunciarlas.

–Sé que la muerte de tu hermano fue muy dura para ti.

–¿Dura? Éramos recién nacidos. Ni siquiera me enteré –afirmó, frunciendo el ceño–. Y eso no tiene nada que ver contigo.

–Sólo intentaba hablar de...

Laura dejó la frase sin terminar porque Bishop se había puesto muy tenso y parecía destrozado.

–Discúlpame. No debería haber sacado el tema. Sé que no te gusta hablar de eso.

Bishop se pasó una mano por el pelo y gimió.

Laura estaba en lo cierto; le disgustaba hablar de su hermano porque sólo servía para que experimentara sentimientos de culpabilidad, impotencia y pérdida.

Pero al mirarla y verla cabizbaja, pensó que no habían hablado de ello durante el matrimonio y que tal vez había llegado el momento oportuno. Además, cabía la posibilidad de que la charla sirviera para ayudarla a recobrar la memoria.

–Éramos idénticos –empezó a decir–. Pero por lo visto, yo me desarrollé más que él en el vientre de mi madre y falleció cuatro días después del parto.

–Y te sientes culpable.

Bishop sabía perfectamente que él no era culpable de nada. Lo sabía y se lo había repetido una y otra vez a sí mismo a lo largo de los años.

Sin embargo, sus padres le habían hecho la vida imposible durante su infancia. No había cumpleaños ni vacaciones de Navidades o Semana Santa que no aprovecharan para lamentar el fallecimiento de su hermano. Y Bishop comprendía que honraran su memoria; pero le habría gustado que, alguna vez, le dedicaran toda su atención sin mencionar el incidente.

Por fin, suspiró y admitió:

–Sí, bueno... cada vez que pienso en él, me siento mal.

Laura asintió.

–Mi madre también se sentía culpable por haberme pasado la dolencia... hasta el día en que le dije que estaba tan agradecida de ser su hija que tener un trocito de metal en el pecho y tomar medicación era un precio verdaderamente bajo a cambio.

–Pero tu madre desconocía el riesgo cuando se quedó embarazada de ti –le recordó.

–Y me alegra que lo desconociera y que ella misma se alegrara. Siempre decía que sus hijas eran su vida.

Él sonrió. Era lógico que una madre se enorgulleciera de tener una hija como ella; incluso de tener una como Grace, con todos sus defectos.

–Sé por qué me lo dices, Laura. Sé que quieres tener una familia a la antigua usanza.

Ella lo miró con intensidad.

–Sí, me gustaría mucho.

Bishop pensó que ya habían mantenido esa conversación dos años atrás. La última vez, él se mostró de acuerdo y Laura se quedó embarazada pocas semanas más tarde.

Por fin había conseguido lo que quería.

Pero surgió un problema.

Al recordarlo, se preguntó qué había sido más doloroso para él, si la actitud de sus padres sobre la muerte de su hermano o la angustia de Laura cuando perdió el bebé.

–¿Y bien? ¿No dices nada? –preguntó ella.

Bishop se encontró en un callejón sin salida. Qué podía decir.

Ya no era su esposo. Ya no estaban casados. Todo aquello era una farsa.

–Yo...

–¿Sí?

–Creo que deberíamos pensarlo más.

La sonrisa de Laura desapareció durante unos segundos, pero se recobró enseguida y se volvió a comportar con el mismo optimismo que siempre le había encantado.

De repente, señaló sus sandalias blancas y dijo:

–Esta noche representan *El cascanueces* en la ciudad. Supongo que no conseguiríamos entradas para la sesión de hoy, pero podríamos ir mañana.

–¿Al ballet?

La última vez que habían ido al ballet, terminaron discutiendo delante de un cliente y de su mujer, que los habían acompañado. Bishop no era precisamente un admirador de los tutús, y se había jurado que nunca más, en toda su vida, volvería a sufrir ese espectáculo.

–Bueno, si el ballet no te gusta mucho...

–No, no me gusta mucho –le confesó–. Pero a ti, sí.

Bishop aceptó porque tendrían que ir a Sidney y se libraría de estar a solas con ella en la casa. Además, siempre era posible que la instalación eléctrica del teatro se fundiera y que el destino le ahorrara el disgusto.

Capítulo Cinco

Antes de que Bishop se marchara a comprar provisiones, Laura comprobó que tenía suficientes preservativos. Siempre echaba un vistazo al cajón de la mesita de noche donde los guardaba, pero había más que de sobra.

Laura no se deprimió. Ya le había planteado la posibilidad de quedarse embarazada y sabía que, con tiempo y paciencia, lograría convencerlo. Como había perdido la memoria y creía que seguían casados y enamorados, pensaba que tenían todo el tiempo del mundo.

Preparó unas pastas y se marchó a su despacho, donde encendió el ordenador. Bishop apareció pocos minutos después. Ella giró el asiento y alzó la cabeza para recibir un beso. Él dudó, pero al final se inclinó y la besó en la mejilla.

Aquello le extrañó. El día anterior había evitado su contacto y aquella mañana seguía por el mismo camino.

–Te aseguro que mis labios no sufrieron ningún daño cuando me caí –bromeó.

Antes de que él pudiera reaccionar, Laura le pasó los brazos alrededor del cuello y le besó en la boca con la precisión de un misil balístico.

Bishop se resistió un momento y se dejó llevar,

impotente. Pero el contacto duró menos de lo que ella habría deseado. Cuando ya suponía que el encuentro terminaría en la cama, él la dejó de besar y se apartó.

Como no quería que le volviera a soltar el discurso sobre las recomendaciones del médico, decidió adelantarse.

–Me había equivocado –dijo.

Él la miró con extrañeza.

–¿En qué?

–No están representando *El cascanueces,* sino *El lago de los cisnes.*

–*El lago de los cisnes...* –repitió él con resignación.

Laura ladeó la cabeza.

–No tenemos que ir si no quieres.

–No, no, iremos... aún no he olvidado la última vez.

–¿La última vez? –preguntó ella–. Sólo hemos estado una vez en el ballet, justo antes de que nos casáramos.

–Qué curioso. Juraría que hemos ido más veces.

Bishop parecía tan convencido que Laura rió.

–¿Tan espantoso te pareció? Cualquiera diría que has tenido pesadillas en las que un montón de hombres con mallas te persiguen.

Bishop sonrió.

–Sí, puede que sea eso.

Al ver que el ordenador estaba encendido, él decidió aprovechar la ocasión para entrar en la página del teatro de Sidney.

–Si me dejas un momento, reservaré las entradas –dijo.

–¿Con tu tarjeta? ¿Es que la mía no vale?

–Oh, vamos, sólo pretendo invitarte, como haría un caballero.

Ella se levantó del sillón y le dejó el sitio.

–En ese caso, iré un momento a la cocina.

Cuando Laura llegó a su destino y vio el montón de bolsas que Bishop había dejado en la encimera, se sorprendió. Bishop siempre había permitido que fuera ella la que hacía las compras importantes, porque sabía que le encantaba cocinar y que prefería encargarse personalmente de esas cosas.

Guardó el contenido de las bolsas en el frigorífico y en los armarios y abrió el horno para comprobar las pastas que había metido.

Mientras se inclinaba para sacar un plato donde poner las pastas, la mente se le quedó en blanco.

Sólo fue un momento. Recordó enseguida dónde estaba y lo que estaba haciendo, pero no pudo encontrar su plato preferido. No estaba en ninguna parte.

Sacudió la cabeza e intentó quitarle importancia, aunque la amnesia era más grave de lo que había pensado al principio. Se daba cuenta con cosas pequeñas, como el dentífrico de cuarto de baño, que no reconocía, o las sobras del frigorífico que no recordaba haber dejado allí.

Preparó café, lo sirvió en dos tazas y las puso en una bandeja antes de volver al despacho.

Cuando llegó, vio que Bishop había salido de la página del teatro y estaba mirando una diferente, llena seres peludos de ojos preciosos.

–¡Perros! –exclamó ella con alegría–. Estaba pensando que podríamos comprar un cocker spaniel...

Él apoyó un codo en la mesa.

–¿Un cocker? ¿No son un poco idiotas?

–Son suaves, amables y encantadores.

–Prefería un perro más grande.

–Quieres decir *más fuerte.*

Él alcanzó su taza de café y sopló antes de beber.

–Ten en cuenta que la casa está en un lugar muy solitario. No se puede decir que tengas muchos vecinos en los alrededores.

–Que tengamos –puntualizó ella.

Bishop dejó el café en la mesa.

–Yo voto por un doberman.

–¿No son agresivos? No me gustaría compartir mi hogar con una masa de músculos y de agresión contenida... exceptuándote a ti, por supuesto.

Bishop hizo caso omiso del halago.

–Los perros son como les enseñes a ser. Además, se dice que son muy leales.

Ella sonrió.

–¿Tuviste perros de niño?

–Sí. Tuve un golden retriever.

–Un perro guía...

–En efecto.

–¿Puedes ver si tienen?

Bishop buscó por la página de Internet y encontró un montón de cachorritos a cual más precioso.

–Qué maravilla... –dijo ella, encantada–. Míralos; cualquiera diría que están sonriendo. No me importaría tener uno de ésos.

Él leyó en voz alta las características del animal.

–Buen perro familiar, buen temperamento...

tendencia a reaccionar de forma exagerada y a padecer problemas de articulaciones.

Bishop se recostó en el sillón y añadió:

–No sé. Uno de mis trabajadores se gastó dos mil dólares en curarle una pata a su gato. Si tienen problemas de articulaciones, al final saldrá por un dineral... Será mejor que echemos un vistazo a los rottweiler.

Ella volvió a sonreír. A fin de cuentas, Bishop sabía de sobra que el dinero no era un problema en su caso.

–No quiero un perro guardián; quiero un perro que me haga compañía y que forme parte de nuestra familia... Dime, ¿todavía te gustan los retriever?

–Por supuesto.

–Pues si nos gustan a los dos, no veo dónde está el problema. Si en algún momento necesita atención veterinaria, se la daremos. Es absurdo que elijamos otra raza por miedo a lo que pueda ocurrir en el futuro... cualquier perro se puede poner enfermo –alegó–. Nada es seguro, Bishop. Siempre hay riesgos.

Bishop se quedó en silencio. Ella cruzó las manos sobre el regazo y pensó que se había apuntado un tanto; obviamente, la conversación sobre los perros y los riesgos tenía otras implicaciones.

–No tenemos que tomar una decisión ahora mismo –continuó al cabo de unos segundos–. No hay ninguna prisa.

Él cerró el navegador.

–Eso es cierto. No hay prisa.

El teléfono sonó en ese instante, pero no era el móvil de Bishop, sino el fijo de la casa. Laura pensó que sería Kathy, la bibliotecaria; habían estado hablando sobre la posibilidad de organizar unos cursos de literatura para mayores de cincuenta años.

Extendió un brazo para alcanzar el auricular, pero él se le adelantó.

Cuando salió a comprar provisiones, Bishop pensó que el teléfono podía ser una fuente de problemas. Si alguno de los amigos de Laura se ponía en contacto con ella, cabía la posibilidad de que despertara dudas y complicara su recuperación.

Ella había olvidado parte de su pasado, pero sus amigos no lo sabían. Cualquier comentario inocente podía causar un desastre. Se daría cuenta de la distorsión que sufría y se sentiría acorralada e impotente, como si estuviera en una pesadilla surgida de alguna película de Alfred Hitchcock.

De hecho, Bishop había decidido que interceptaría las llamadas; no para impedir que se pusiera en contacto con sus seres queridos, sino para advertirles de la situación antes de que hablaran con ella.

Desgraciadamente, no podía hacer lo mismo con su correo electrónico. Más tarde o más temprano lo comprobaría y descubriría incongruencias mayores que creer que en el teatro de Sidney se representaba *El cascanueces* cuando en realidad era *El lago de los cisnes.*

A fin de cuentas, estaba viviendo en el pasado. Se daría cuenta de que las fechas no coincidían y se hundiría en la desesperación.

–Es para mí –se apresuró a decir–. Estaba esperando una llamada... ¿A qué huele? ¿Estás preparando pastas?

–Oh, Dios mío, lo había olvidado...

Bishop se alegró de que su truco hubiera funcionado. Esperó a que Laura se marchara y contestó.

–¿Dígame?

–Hola, Bishop. Soy Laura.

Él suspiró.

–¿Qué tal está mi hermana?

–No tan mal como había imaginado.

–¿Ha recordado algo?

–Que yo sepa, no.

–Debería ir a verla.

–Como quieras.

–Aunque si prefieres que me mantenga al margen...

Bishop no se molestó en negarlo. Prefería que Grace estuviera tan lejos de él como fuera posible.

–Qué bien me conoces, Grace.

Ella no se molestó.

–¿Es feliz?

Bishop la imaginó en la cocina, sacando las pastas del horno y buscando una de las cucharillas de plata que usaba para ponerles mermelada encima. A decir verdad, preparaba una mermelada excelente.

–Sí, es muy feliz.

Grace tardó unos segundos en hablar.

–Espero que entienda lo que has hecho cuando recobre la memoria.

–Supongo que eso depende de qué Laura sea entonces... la de ahora o la que estaba loca por perderme de vista.

–¿Estás hablando de mí?

Bishop sintió una punzada en el pecho al ver a su exmujer, que acababa de entrar en el despacho con una bandeja de pastas, un tarro de mermelada, un poco de mantequilla y sus cucharillas de plata.

–Sí... Es tu hermana.

Ella lo miró con humor.

–¿Mantienes una conversación con mi hermana?

–¿Por qué no? Hablábamos de tu estado.

–¿De mi estado?

–Sí, de tu caída...

Bishop le dio el auricular.

–Hola, Grace, ¿qué tal estás... ? Sí, estoy bien. Mejor que bien –dijo ella, guiñándole un ojo a Bishop.

Él alcanzó una pasta, le puso un poco de mermelada y salió del despacho para que pudieran hablar con tranquilidad. Cuando llegó al arco de la entrada del salón, contempló el mobiliario y la chimenea ante la que habían pasado tantas noches de amor y de tranquila compañía. Al principio de su matrimonio, se sentía tan bien con ella que era como estar en el paraíso. Habían sido los mejores días de su vida.

Se acercó a la repisa de la chimenea y miró los candeleros de plata, las figuritas de porcelana y una taza que Laura había olvidado allí.

Después, alzó la mirada y su corazón se detuvo un instante.

La fotografía de su boda había desaparecido.

Bishop se preocupó de inmediato. Era normal que la hubiera quitado del salón; no en vano, se habían divorciado. Pero si Laura entraba en la estancia y se daba cuenta, se sentiría más confusa que nunca.

Echó un vistazo a su alrededor. Imaginaba que

la habría guardado en alguna parte de la casa, aunque no supo qué hacer. Podía buscarla y devolverla a su sitio original o aprovechar su ausencia para ayudarla a recobrar la memoria.

Sin embargo, tampoco estaba seguro de que la ausencia de la fotografía tuviera algún efecto. Habían pasado muchas cosas durante las últimas horas, cosas con las que debería haber reaccionado; pero seguía igual.

Incluso había cometido el error de besarla. Un error extraordinariamente grave, porque conocía a Laura y sabía que no se contentaría con eso.

Cuando cayera la noche, querría mucho más.

–Se me ha ocurrido que mañana te podría hacer una visita –dijo Grace.

Laura se sentó en uno de los sillones del despacho, junto a la ventana.

Nada me gustaría más, Grace, pero Bishop y yo tenemos intención de ir a Sidney a ver *El lago de los cisnes.*

–¿A Sidney? ¿Te parece oportuno en tu estado?

–Por favor... no me digas que tú también te vas a poner pesada con eso. Me encuentro bien, en serio.

–Pues tendrás que acostumbrarte a mi pesadez –ironizó su hermana–. No tengo más remedio que preocuparme por ti.

Laura rió.

–Lo sé, lo sé.

–¿Bishop se va a quedar en la ciudad?

–¿Mañana? ¿Por qué lo preguntas?

–Porque es un hombre ocupado –se apresuró a responder–. He supuesto que preferiría quedarse allí en lugar de volver a la casa y repetir el viaje el lunes para ir a la oficina.

–No, no creo que se quede. No ha dicho nada al respecto.

–¿Qué tal está él?

La pregunta de Grace le hizo desconfiar.

–¿Desde cuándo te interesa su bienestar?

–Sólo quiero asegurarme de que trata bien a mi hermana pequeña.

–Siempre me ha tratado bien.

–¿En serio?

Laura sintió un escalofrío extraño.

–Grace, sé que piensas que nos casamos demasiado pronto; y puede que tengas razón... Tal vez deberíamos haber esperado un poco –admitió–. Pero estamos muy enamorados y eso es lo único que importa.

–Ya. Y supongo que no le has dicho que no quieres adoptar niños.

–Te equivocas. Se lo dije ayer.

–¿Se lo has dicho?

–Sí. Y sé que nos pondremos de acuerdo.

Grace soltó un suspiró.

–Espero que tengas razón, cariño.

Capítulo Seis

Laura preparó asado y puré para cenar. Cuando terminaron el postre, Bishop se levantó de la mesa y se marchó a su despacho, dejándola sola y profundamente decepcionada.

La estaba evitando. O estaba evitando la conversación de los niños.

Eso era indudable.

Limpió los platos y decidió darse una ducha antes de acostarse. Mientras se dirigía al cuarto de baño, pensó que debía ponerse en el lugar de Bishop e intentar ver las cosas con lógica y frialdad. Seguramente mantenía las distancias porque quería darle tiempo para que se recuperara y tenerlo, a su vez, para considerar la idea del embarazo.

Y tal vez fuera lo mejor.

Además, no había exagerado al decir a Grace que estaba segura de que llegarían a un acuerdo. Sabía que Bishop daría su brazo a torcer; pero si no lo daba, encontraría otra forma de conseguirlo.

Antes de ducharse, se quitó la venda de la cabeza y se miró en el espejo. No tenía más que un rasguño y no le dolía nada. Casi parecía un milagro que no se hubiera hecho algo peor con la caída.

Minutos después, salió de la ducha y pensó en ponerse el negligé de color malva que había usado durante la luna de miel en Grecia. No lo había usado desde entonces.

Encontró la prenda de seda en uno de los cajones de la cómoda y miró la hora antes de volver al cuarto de baño. Faltaba poco para las nueve de la noche.

Al cabo de un rato, salió al pasillo con la intención de seducir a su marido; pero se llevó un chasco al ver que Bishop se había marchado. Lo encontró en la terraza de poniente, apoyado en la barandilla y contemplando las estrellas con expresión distante.

Se acercó a él por detrás, le pasó los brazos alrededor de la cintura y aspiró su aroma. Él debió de notar que se acercaba, porque no se sorprendió ni se movió un milímetro cuando sintió su contacto.

–No deberías salir fuera con tan poca ropa –dijo al notar la presión de su cuerpo–. Aquí hace fresco.

Ella sonrió.

–¿En serio? No me he dado cuenta.

Laura lo soltó y se puso a su lado. Él abrió la boca para insistir con lo del frío, pero ella le puso un dedo en los labios y lo acalló.

–No quiero saber nada de las recomendaciones del médico. No tengo frío, de verdad... cómo voy a tenerlo estando contigo.

–Te has quitado la venda... –observó.

–Esperaba que notaras algo más –dijo ella, sonriendo con malicia.

–Ya lo había notado –afirmó él.

Laura lo tomó de la mano y le besó la muñeca.

–Te adoro, Bishop. Te quiero tanto que a veces

me duele. ¿Cuánto tiempo ha pasado desde la última vez que hicimos el amor?

Él suspiró y le acarició el cuello.

–Demasiado –dijo.

–Exactamente. Demasiado. Me siento como si no me hubieras abrazado desde hace años.

Bishop bajó las manos por su espalda, muy despacio, hasta llegar a la curva de su trasero. Laura gimió al sentir el despertar de su cuerpo, pero no estaba dispuesta a contentarse con tan poco; le agarró de la muñeca que acababa de besar y le puso la mano sobre uno de sus senos.

–Bishop, llévame a la cama.

Bishop apretó los dientes. Sabía lo que tenía que hacer, pero no la soltó.

El contacto del cuerpo de Laura lo excitó más allá de lo que creía posible. Estaba atrapado entre la razón y el deseo. Si se apartaba de ella, los dos perderían y ganarían algo; si se rendía y se acostaban, los dos perderían y ganarían algo. Pero el precio de acostarse con ella era demasiado alto para poder asumirlo.

A no ser que Laura no recobrara nunca la memoria.

La miró a los ojos y se preguntó qué habría querido Laura si no se hubiera caído y no padeciera amnesia. Pero lejos de encontrar una respuesta, sólo vio una mirada llena de excitación y de amor.

Aquella mujer estaba absoluta y sinceramente enamorada de él.

Gimió y la abrazó con más fuerza. No se podía resistir. No podía hacer otra cosa que cumplir sus deseos, a riesgo de que recobrara la memoria en algún momento de la noche y quisiera ahorcarlo a la mañana siguiente.

La besó con pasión y la llevó al interior de la casa. Cuando llegaron a la cama, se apartó lo justo para contemplar su cuerpo a la luz de la luna, cuyos rayos se filtraban por las enormes ventanas del dormitorio.

Ella alzó los brazos y él comprendió lo que quería.

Le quitó la prenda por encima de la cabeza y la dejó caer.

Antes de que llegara al suelo, ya estaba devorando su boca. Laura parecía completamente feliz de rendirse a él.

Laura se estremeció por dentro mientras acariciaba los músculos pétreos de su pecho y de su estómago. Después, lo ayudó a desabrocharse el pantalón y a quitarse la camisa, sin dejar de besarse con una pasión llena de urgencia.

Se sintió dominada por una riada de sensaciones y recuerdos que se multiplicaron y se volvieron mucho más intensos cuando él bajó la cabeza y la besó en el cuello.

Mientras le acariciaba los hombros y los bíceps, tan familiares para ella, sonrió para sus adentros. Él siguió en su cuello unos segundos más, pero no tardó en descender a sus pechos y en robarle la respiración.

Ella gimió y le metió las manos en el pelo. Él le succionó un pezón, aumentando su excitación segundo a segundo, poco a poco, con cada latido y cada movimiento de su lengua.

Mareada, llevó una mano a su cintura y dijo:

–Deberíamos hacerlo con más frecuencia. Al principio, pasábamos semanas enteras sin salir del dormitorio.

–Sí, lo recuerdo.

Bishop se quitó los zapatos, los calcetines y los pantalones antes de tumbarla en la cama y situarse sobre ella como un gran gato. Luego inclinó la cabeza y le besó la boca, la frente y la oreja.

–¿Quieres que nos metamos bajo las sábanas? –preguntó ella, arqueándose hacia arriba–. Dijiste que hacía frío...

Él le introdujo una rodilla entre las piernas y la frotó suavemente contra su sexo, que estaba húmedo, preparado.

–Yo estoy bien –murmuró–. ¿Y tú?

En respuesta, Laura se volvió arquear. Pero esta vez, Bishop no se limitó a acariciarla; la penetró de golpe, dejándola sin aliento, completamente estremecida.

Hacer el amor con él siempre había sido maravilloso; sin embargo, aquella noche le parecía una experiencia más allá de lo increíble. Con el duro contacto de su abdomen, su boca que le devoraba la garganta y sus fuertes dedos que le acariciaban el cabello mientras entraba y salía de ella, se sintió más feliz y satisfecha que nunca.

Sonrió en las sombras y se aferró a aquella sensación. Bishop aún la deseaba. Del mismo modo insaciable que ella a él.

La lenta y continuada fricción de sus cuerpos se convirtió en un incendio. Cuando Laura se dio cuenta de que se acercaba al orgasmo, lo agarró de los brazos y contrajo los músculos alrededor de su sexo, concentrándose en la magia indescifrable que estaba a punto de sentir.

Miró a Bishop y vio que estaba empapado de sudor. Y de repente, él soltó un gemido y salió de ella.

Laura tardó un momento en comprender que no tenía intención de seguir adelante. Se apoyó en los codos, preocupada y preguntó:

–¿Qué ocurre?

–Que no me he puesto un preservativo.

Ella estuvo a punto de decir que lo olvidara, pero se contuvo. Hacer el amor sin protección era un riesgo demasiado alto. Se podía quedar embarazada; y aunque ella lo estaba deseando, no podía obligarlo por la fuerza de los hechos consumados, sin contar con él.

Decidió esperar. Suponía que Bishop abriría el cajón de la mesita de noche y sacaría lo que necesitaban.

Pero no se movió.

–¿Qué ocurre, Bishop? Están en el cajón, como siempre.

Tras unos segundos de silencio, él se movió hacia la mesita y abrió el cajón.

–¿Qué pasa? –insistió ella.

–Preservativos. Hay una caja entera –dijo él.

Ella sonrió.

–Bueno, no tenemos que utilizarlos todos esta noche...

Él se encogió de hombros y suspiró.

–No, no es eso, es que...

Laura oyó que Bishop rasgaba un paquete, sacaba un preservativo y se lo ponía antes de girarse hacia ella.

En cuanto sintió el contacto de su boca, su inquietud desapareció. Las caricias y los besos se volvieron más intensos, al igual que la necesidad de sentirlo nuevamente en su interior.

Él le apartó las piernas y la empezó a masturbar muy despacio, lentamente, jugueteando con ella, y Laura supo entonces que la noche no terminaría sin que volviera a sentir la explosión del éxtasis.

Poco después, cuando ya estaba a punto de perder el control, murmuró:

–Me encanta que me beses. En todas partes; todo el tiempo.

Él se lo tomó como una orden. Apartó la mano, se inclinó sobre ella y le lamió los pechos y el estómago antes de introducirse entre sus muslos.

Cada caricia de su lengua la acercaba más al clímax. Cada roce de sus labios la volvía loca de amor.

En las profundidades oscuras de su mente, Bishop supo que estaba perdiendo la partida. Cuando abrió el cajón de la mesita de noche y vio la caja de preservativos, se alegró y se quedó helado al mismo tiempo.

Imaginaba que Laura se habría librado de ellos,

al igual que de los anillos. Pero se había equivocado. Sólo faltaba por saber si los guardaba porque le molestaban tanto que no se atrevía a tocarlos o porque, en el fondo de su corazón, deseaba que volviera con ella.

De todas formas, en ese momento estaba demasiado excitado para pensar.

Había sucumbido a los encantos de Laura y no se arrepentía de ello. Sobre todo en ese momento, cuando su boca descendía lentamente hacia su entrepierna.

Ella separó los muslos un poco más y él le hizo el amor con la boca. Tenía la sensación de que el placer de aquella noche era mucho mayor que el que había experimentado en el pasado. Tal vez, porque estaban haciendo algo indebido. Tal vez, porque llevaban demasiado tiempo sin acostarse.

Apenas acababa de empezar cuando notó que la tensión de Laura crecía, como si le faltara poco para llegar al orgasmo. Quería satisfacerla más que nunca, de modo que la agarró por las caderas y movió la lengua como más le gustaba a ella, de la forma exacta, precisa.

Ella se estremeció. Primero de forma imperceptible; después, abiertamente.

Él siguió adelante, sin detenerse en ningún momento, lamiendo una y otra vez entre sus contracciones. Y sólo entonces, cuando ya había saciado el deseo de Laura, se apartó lo justo para penetrarla y se empezó a mover.

Después, la miró a los ojos. Le parecía la mujer más bella del mundo. La quería tanto que sacó fuerzas de flaqueza e intentó a reducir el ritmo para que la experiencia durara todo lo posible; a fin de cuentas, cabía la posibilidad de que aquélla fuera su última noche.

Y lo consiguió. Logró contenerse lo necesario hasta que ella alcanzó el segundo orgasmo y él no pudo más.

Entonces, murmuró su nombre, se concentró en la gloriosa sensación de su cuerpo, se movió una vez más y se rindió al fuego que lo consumía.

Por primera vez, deseó que Laura no recobrara nunca la memoria.

A la mañana siguiente, Bishop se sentó en la terraza del Este y se dedicó a contemplar las vistas de las montañas, disfrutar del canto de los pájaros y preguntarse reiteradamente qué diablos había hecho la noche anterior.

Hacer el amor con Laura había sido una idea nefasta. Y no lo habían hecho una sola vez, sino varias.

No podía negar que la experiencia había sido fantástica, pero sabía que, cuando Laura recobrara la memoria, exigiría saber por qué se había acostado con ella. Todas sus caricias, sus palabras y sus sonrisas de la noche no servirían de nada; cuando volviera a ser la Laura que había sido, la Laura que no estaba enamorada de él, no le daría ninguna oportunidad.

Pero ése no era el único problema que tenía. Ahora sabía que seguía sintiendo algo por ella. Lo excitaba con cualquier cosa; con un roce, con el sonido de su voz, con la forma en que movía las caderas.

Incluso ahora, tras haberse prometido que no la volvería a tocar, ardía en deseos de volver a su lado y cubrirla de besos.

No sabía qué hacer ni con Laura ni con su propia vida. Se suponía que estaba saliendo con Annabelle; se llevaban bien y les gustaban las mismas cosas, aunque no se podía afirmar que mantuvieran una relación. Pero después de lo que había sucedido, Samuel Bishop era un mar de dudas.

Sacó el teléfono del bolsillo y marcó un número.

–Hola, Annabelle. Soy Samuel.

–¿Sam? Pensé que me llamarías este fin de semana... ¿Qué pasó? ¿Tenías mucho trabajo? –preguntó.

–Algo parecido.

Ella se mostró comprensiva.

–Bueno, aún tenemos parte del domingo...

Bishop se maldijo a sí mismo. Se sentía un canalla.

–Mira, Annabelle... si pudiera elegir, no mantendría esta conversación por teléfono; pero me temo que no puedo esperar.

–¿Ha pasado algo malo?

–Te dije que había estado casado, ¿verdad?

–Sí, por supuesto. Y también dijiste que vuestra relación no había terminado bien.

–Pues verás... resulta que mi exmujer, Laura, sufrió un accidente el viernes pasado.

–Y ahora estás con ella, claro.
–Sí. Fui al hospital y la llevé a casa.
–¿Habéis hecho las paces?
Él se frotó la mandíbula.
–Es complicado, Annabelle.
–Pero estáis juntos...
Él respondió con tanta sinceridad como pudo.
–Sí.
Annabelle tardó unos segundos en hablar.
–Entonces, no tenemos más que decir.
–Lo siento mucho...
–Por si acaso, no pierdas mi número de teléfono –dijo ella–. Siempre cabe la posibilidad de que las cosas no os salgan bien.
–No lo perderé. Descuida.
Bishop sólo lo dijo para animarla; cuando cortó la comunicación, sabía que no la volvería a ver. Pero no tenía nada que ver con Laura; entre otras cosas, porque estaba convencido de que su relación con Laura no podía ir a ninguna parte. No la volvería a ver porque Annabelle siempre se preguntaría si estaba pensando en su ex y si la querría tanto como a ella.
Además, Annabelle merecía un hombre mejor. Merecía salir con alguien que fuera capaz de comprometerse.
Y él no era esa persona.
Se guardó el teléfono y pensó en su tradición de los domingos. Laura y él siempre desayunaban en la terraza.
Entró en la casa y pensó que podía acostumbrarse a vivir con su exmujer si no recobraba nun-

ca la memoria. Al fin y al cabo, cocinaba maravillosamente y tenían una relación sexual inmejorable. Pero las relaciones amorosas eran algo más que las relaciones sexuales. Si lo hubiera sabido dos años antes, jamás le habría pedido que se casara con él.

Por mucho que le molestara, Grace tenía razón. Se habían encaprichado el uno del otro y se habían casado demasiado pronto, sin concederse el tiempo necesario.

Sin embargo, eso carecía de importancia en ese momento. Al acostarse con Laura, había sentado un precedente. Aquella tarde se marcharían a Sidney para asistir al ballet; cuando volvieran, ella insistiría en hacer el amor.

Al menos, si no había recobrado la memoria.

Capítulo Siete

–¿Sam? ¿Eres tú?

Los dos se giraron al instante. Cuando Bishop reconoció al hombre de aspecto jovial, le estrechó la mano.

–Robert... Robert Harrington... Ha pasado mucho tiempo desde la última vez que nos vimos –acertó a decir.

Harrington arqueó una ceja y lo miró con humor.

–¿Disfrutando del ballet?

Bishop se frotó una oreja.

–Sí, sí, claro.

El hombre soltó una carcajada. Era evidente que él tampoco era un admirador de *El lago de los cisnes.*

Laura y Bishop habían salido de la casa a primera hora de la tarde. Al llegar a Sidney, se dirigieron a la suite que él mantenía en un hotel y se dedicaron a tomar el sol y a disfrutar de las vistas del puerto hasta que anocheció. De hecho, salieron tan tarde que llegaron al Palacio de la Ópera con el tiempo justo para entrar. Ahora estaban en un intermedio y habían salido a estirar las piernas como el resto de los espectadores.

–Ah, creo que no te he presentado a mi esposa... Shontelle, te presento a Samuel Bishop. Hicimos unos cuantos negocios el año pasado.

–Un placer, Samuel.

Laura esperó a que Bishop le presentara a la pareja, como siempre en esos casos; pero no lo hizo y decidió adelantarse.

–Encantado de conocerlos. Soy Laura.

Shontelle le devolvió el saludo. Robert Harrington se rascó la cabeza y comentó, algo extrañado:

–¿Laura? ¿Ése no era el nombre de tu esposa, Sam?

Shontelle se ruborizó y miró a su marido con recriminación.

Laura, sin embargo, se limitó a reír.

–No lo era –dijo–. Lo sigue siendo.

Robert arqueó las cejas, sorprendido. Pero sonrió de todas formas y le dio una palmadita a Bishop en la espalda.

–Me alegro de haberte visto...

Estuvieron charlando unos minutos más y después se separaron. Bishop y Laura alcanzaron un par de copas de champán y se alejaron a un lugar relativamente tranquilo.

–Ha sido extraño –dijo ella.

–¿Extraño?

–Sí, me refiero al comentario de Robert. Lo que ha dicho sobre mi nombre...

Bishop probó un poco de champán e intentó desviar la conversación.

–Deberíamos venir a Sidney más a menudo.

–Y eso no es lo único extraño... –insistió ella.

–¿A qué te refieres?

–A mi peso. Estoy más delgada. Siempre he tenido la misma talla, pero el vestido me queda demasiado grande.

–Te queda precioso. Seguramente te sientes rara porque hacía mucho tiempo que no lo ponías –comentó.

Ella examinó un momento el vestido rojo, de corpiño decorado con encaje negro.

–¿Mucho tiempo? –preguntó–. Me lo puse hace un mes para asistir a aquella cena de Melbourne...

Bishop entrecerró los ojos.

–¿De qué más te acuerdas, Laura?

Laura intentó pensar. Se acordó del hospital, de haber creído que estaba embarazada, del médico, de las pruebas que le habían hecho y de las lágrimas.

Entonces, frunció el ceño.

En realidad no había llorado. Se llevó una decepción al saber que la prueba de embarazo era negativa, pero también se alegró porque acababa de sufrir un accidente y habría sido peligroso para el bebé.

También recordaba su alegría al ver a Bishop y su desconcierto cuando mantuvo las distancias y no se acercó a darle un abrazo. Se había comportado de forma extraña, aunque luego cambiara de actitud.

Pero los recuerdos que tenía no eran tan inquietantes como la sensación de que había olvidado cosas fundamentales, cosas importantes. Y el comentario de Robert Harrington no le hacía sentir mejor.

–¿Te encuentras bien, Laura?

La voz profunda de Bishop la sacó de sus pensamientos. La miraba con intensidad, mientras al fondo se oía el timbre que llamaba a los espectadores a volver a las butacas.

Dejó la copa de champán en una mesa cercana y se preguntó si verdaderamente se encontraba bien. Sin embargo, se las arregló para sonreír.

–Por supuesto. Ardo en deseos de ver el resto de la obra.

Bishop le pasó un brazo alrededor de la cintura mientras avanzaban entre la multitud. Laura siempre se había sentido orgullosa de caminar con él; la gente miraba a su esposo porque era tan atractivo como un galán de cine, pero también porque irradiaba una energía que resultaba cálida y peligrosa a la vez.

Nadie lo habría querido por enemigo. Pero pensó que eso no era un problema para ella, porque nunca sería enemiga suya.

Mientras subían por una de las escaleras, él comentó:

–Seguramente te sientes débil porque has comido muy poco. Cuando volvamos, pediremos algo de comer.

Laura pensó que habría preferido volver a la suite de Bishop, abrir una botella de vino y hacer el amor; pero se lo estaba pasando muy bien y quería que la velada durara eternamente. Él tenía razón. Debían salir más a menudo.

–No hace falta; podemos detenernos en algún sitio durante el camino de vuelta.

Bishop miró sus zapatos rojos, de tacón alto.

–¿Quieres salir por ahí con esos zapatos? ¿No estarás incómoda?

Ella sonrió y le dio un golpecito con la cadera.

–No sé si estaré incómoda, pero son zapatos para enseñarlos por ahí.

Él también sonrió.

–Entonces, los enseñaremos.

Laura no dijo a Bishop que no recordaba haber comprado aquellos zapatos ni el bolso a juego que llevaba en el hombro. Pero una vez más, se dijo que no tenía importancia y lamentó haber comentado lo de su pérdida de peso; sólo eran detalles triviales, piezas menores de un rompecabezas que sin duda alguna encajaría con el tiempo.

Y estaba segura de que, cuando encajaran, dejaría de tener la inquietante sensación de haber olvidado algo crucial.

Cuando cayó el telón y los aplausos se fueron apagando, Bishop y Laura salieron del Palacio de la Ópera.

La noche era agradable y las calles estaban llenas de turistas y de gente que iba y venía de los restaurantes y los bares de la zona. Laura estaba alabando las virtudes de la primera bailarina cuando él bajó el ritmo de sus pasos al ver una cafetería con terraza. Las mesas de la calle daban al puerto y el café olía maravillosamente bien.

–¿Qué tal vas con los zapatos? ¿Quieres descansar un poco?

–Eso está hecho. Me apetece un pedazo de tarta de chocolate.

Bishop miró el escaparate del local y sonrió al ver las tartas. Laura siempre había sido una golosa.

–Con un poco de helado, supongo...

–Por supuesto que sí.

Se sentaron a una de las mesas y la camarera les tomó nota.

–¿A qué hora tienes que estar en el trabajo?

Laura habló con un tono aparentemente neutral, pero Bishop la conocía bien y sabía que estaba triste porque el fin de semana estaba a punto de terminar y él tendría que volver con sus obligaciones.

–A ninguna. Me he tomado un día libre.

Los ojos de Laura brillaron.

–¿Te has tomado un día? Pero si no descansas nunca... –dijo con asombro.

–Eso no es del todo cierto. Te recuerdo que me tomé unas vacaciones para disfrutar contigo de la luna de miel.

–Ya, pero las lunas de miel no cuentan como vacaciones –observó ella mientras le acariciaba una mano–. ¿Seguro que puedes tomarte un día?

–Si no pudiera, yo sería el primero en encadenarme a la mesa de mi despacho –comentó con humor–. Créeme... Bishop Scaffolds funciona perfectamente. Podrán estar sin mí.

Ella se relajó un poco.

–Bueno, al menos podrás dormir... –dijo.

Bishop pensó que tendría que llamar a Willis para advertirle de su ausencia; no le había dicho nada, pero Willis era perfectamente capaz de encargarse de los problemas diarios. Y en cuanto al inversor que quería adquirir la empresa, tendría que esperar.

La camarera volvió en ese momento con sus tartas y sus bebidas. Poco después, mientras disfrutaban de ellas, se les acercó un caballero de edad avanzada que llevaba un caballete más bien desvencijado.

Tras presentarse, declaró:

–Puede que la dama quiera un retrato...

Bishop sonrió para quitárselo de encima. No le gustaba que lo interrumpieran.

–No creo que...

–Sí, claro que sí –dijo Laura–. A la dama le encantará un retrato. Pero de los dos.

Bishop se inclinó hacia ella y declaró en voz baja:

–¿Estás loca? ¿Quieres posar una hora?

El caballero le oyó y sacudió la cabeza.

–No se preocupen, no tienen que posar. Coman, charlen y recuerden tranquilamente sus buenos recuerdos mientras yo pinto.

Laura se quitó un zapato, alzó una pierna y acarició a Bishop por debajo de la mesa.

–Lo de los buenos recuerdos será fácil –dijo ella–. Aún no he olvidado los maravillosos días de nuestro viaje al Egeo.

Bishop agarró el pie a Laura y le hizo cosquillas.

–Ni yo aquella noche increíble en Naxos...

–Por favor, pónganse más juntos... –intervino el pintor–. Sí, así está bien. Magnífico.

Bishop se dedicó a gozar de su porción de tarta

mientras su exmujer hablaba de la luna de miel, de las personas que habían conocido y de cierto baile íntimo a la luz de la luna. A él le pareció curioso que no recordara nada del divorcio ni del tiempo transcurrido desde entonces y que, sin embargo, recordara acontecimientos lejanos con tanta claridad.

Entre las tartas, la conversación y las risas, Bishop casi había olvidado la presencia del pintor cuando éste volvió a hablar.

–Bien, ya he terminado.

Bishop se llevó una mano al bolsillo.

–¿Cuánto le debo?

–La voluntad –dijo el hombre, antes de dar la vuelta al caballete.

Al ver el cuadro, Laura soltó un gemido de admiración.

–Oh, Bishop, es perfecto...

Bishop asintió. Había representado perfectamente la alegría de la noche y el afecto que se profesaban. Era como mirar el pasado.

–Gracias –dijo el pintor, haciendo una reverencia–. Trabajar con una pareja que se quiere tanto es un verdadero placer.

–¿Tan obvio es? –preguntó Laura.

–Absolutamente –dijo el hombre–. Su amor es como un cometa que iluminara el firmamento nocturno.

Bishop le dio un billete de los grandes. No se podía decir que el pintor fuera original con sus palabras, pero su descripción no estaba lejos de la verdad.

Parecían dos personas que se acaraban de enamorar. De haber podido, se habría quedado allí, en la terraza, toda la noche.

Ya era tarde cuando terminaron, de modo que Bishop paró un taxi para que Laura no tuviera que caminar con aquellos tacones.

Al entrar en el hotel, el recepcionista alzó la mirada y saludó a Bishop con una sonrisa más amplia de lo normal, como si llevara mucho tiempo sin verlo y su vuelta le alegrara sinceramente. Mientras se dirigían a los ascensores, ella comentó:

–Los empleados de este hotel son muy agradables. Deberías dejarles una buena propina.

Bishop sonrió.

–Hoy son especialmente agradables porque estoy en compañía de una mujer preciosa, resplandeciente.

Cuando entraron en el ascensor, Laura pensó que el adjetivo «resplandeciente» se dedicaba a menudo a las mujeres embarazadas. De hecho, antes de que el médico del hospital le informara del resultado negativo de la prueba de embarazo, se había sentido exactamente así, resplandeciente.

Pero no quería pensar en cosas deprimentes. A fin de cuentas estaba con Bishop y se había tomado un día libre.

Se apoyó en él y se quitó los zapatos.

–Supongo que ya los has enseñado bastante para una sola noche –bromeó.

–Te equivocas. Eso sólo ha sido el principio del espectáculo.

Las puertas del ascensor se abrieron y él la miró con intensidad.

–¿Insinúas que no estás cansada?

–En efecto.

Entraron en la suite, de paredes claras y muebles rojos y negros. Ella dejó los zapatos a un lado, se giró hacia Bishop y le dio un beso en los labios, incapaz de refrenar su deseo.

Lo había estado deseando toda la noche. En la ópera, en la terraza, en el taxi, al cruzar el vestíbulo del hotel y en el interior del ascensor. Necesitaba demostrarle con sus caricias que no podía vivir sin él.

Lo amaba.

Se dijo que eso no cambiaría nunca; que, ocurriera lo que ocurriera, su amor siempre estaría allí, tan insaciable como siempre.

Él la abrazó con fuerza y la besó a su vez. Cuando por fin se apartaron, el corazón de Laura latía tan deprisa que sentía su vibración en todo el cuerpo.

–¿Sabes lo que quiero hacer? –le preguntó.

–¿Cuántas oportunidades me das para que lo adivine? –bromeó Bishop.

–¿Cuántas necesitas?

–Sólo una.

Ella le puso las manos en los hombros.

–¿Y si te equivocas?

Él sonrió.

–No me voy a equivocar.

–Entonces, ¿no necesitas una pista?

Él volvió a sonreír.

–Al contrario. Las pistas siempre son bienvenidas.

–Muy bien... pero antes, deja que te quite eso.

Laura le quitó rápidamente la chaqueta y la dejó caer antes de acariciarle el pecho por encima de la camisa.

–También te debería quitar la corbata.

Él rió.

–Y los gemelos. No te olvides de los gemelos.

–Sí, los gemelos también están de más.

Mientras ella le desanudaba la corbata y le desabrochaba la camisa, él se libró de los gemelos. Laura suspiró al contemplar su estómago desnudo y se detuvo un momento antes de quitarle la camisa.

Después, se puso de puntillas y le besó en el cuello, disfrutando de los momentos anteriores al amor. Bishop se había excitado y pudo sentir la fuerza de su erección bajo los pantalones, apretándose contra ella.

–¿Recuerdas lo que llevábamos puestos aquella noche, en aquel barco?

Bishop le mordisqueó el lóbulo de la oreja.

–Lo recuerdo muy bien. No llevábamos nada en absoluto –respondió–. ¿Quieres que volvamos a bailar desnudos?

Laura suspiró.

–Pensé que no me lo pedirías nunca...

Justo entonces, llamaron a la puerta.

–¡Servicio de habitaciones!

Laura lo miró con perplejidad.

–¿Servicio de habitaciones? Pero si no hemos pedido nada...

–Se habrán equivocado –dijo él–. Hagamos como si no estuviéramos.

–Podría ser importante...

Él sacudió la cabeza.

–Sea lo que sea, no sería tan importante como esto –insistió, sin dejar de acariciarla.

Desgraciadamente para Bishop, el hombre de la puerta volvió a llamar.

–¡Servicio de habitaciones, señor!

Gimió, soltó a Laura y se dirigió a la entrada mientras decía:

–Recuérdame que cuelgue un cartel en el pomo para que los empleados del hotel sepan que no quiero que me molesten.

Cuando abrió, Bishop se encontró ante un botones que ni siquiera parpadeó al verlo medio desnudo. Llevaba dos copas y una cubitera con una botella de champán de aspecto impresionante.

–Con los mejores deseos de la casa, señor. Buenas noches.

Bishop colgó el cartel en el pomo y cerró la puerta.

Cuando Laura vio la tarjeta que acompañaba a la botella de champán, soltó una carcajada deliciosa.

–Aquí dice que se alegran mucho de volverte a ver –comentó–. Cualquiera diría que no te han visto en años... pero estuviste aquí hace dos semanas. ¿Se habrán equivocado de persona? Tal vez deberíamos devolverla.

–¿Tú crees?

Ella se encogió de hombros.

–Tiene que ser un error...

–Puede que lo sea.

Bishop la miró a los ojos con picardía.

–¿No la vas a devolver?

–¿Tú la devolverías?

Ella se cruzó de brazos y lo miró con cara de pocos amigos.

–No me gusta que hagas eso, Bishop.

–¿Hacer qué?

–Eso. Responder a una pregunta con otra pregunta.

Bishop se quedó desconcertado. Hasta la propia Laura se había dado cuenta de que su tono de voz había sonado agresivo y frío, completamente fuera de lugar. Pero no tenía intención de hablarle así. Ni siquiera sabía por qué lo había hecho.

Se acordó del comentario de Robert Harrington y de la sorpresa del recepcionista del hotel, que parecía guardar relación con la botella de champán y la nota.

Aquello no tenía sentido.

Pero supuso que no tendría importancia, que sólo eran cabos sueltos, que estaba reaccionando de forma exagerada y que imaginaba cosas extrañas sin motivo. A fin de cuentas, se había pegado un buen golpe; era normal que estuviera confusa.

Por fin, sonrió y miró la botella.

–Bueno, sea como sea, es todo un detalle... Deberíamos darles las gracias por la mañana –comentó.

Bishop pasó junto a ella y dejó la cubitera en la mesa. Sabía que Laura estaba confundida, pero su confusión era una broma comparada con la suya.

No sabía ni qué estaba haciendo ni qué iba a hacer a continuación.

Todos los pasos dados desde el viernes le habían conducido a ese momento. Y todos le habían parecido lógicos, razonables, en sus circunstancias respectivas; incluido el hecho de hacer el amor con ella. No en vano, ningún hombre en su sano juicio se habría resistido a su ofrecimiento.

Pero aquella noche, cuando Laura empezó a rememorar su luna de miel y recreó todos aquellos sentimientos e imágenes, logró algo que Bishop no habría creído posible: logró que volviera al pasado, que la mirara a los ojos y deseara quedarse con ella para siempre.

Al principio, le había seguido la corriente porque no era bueno que recobrara la memoria con brusquedad; después, se la había seguido porque no sabía cómo actuar; a continuación, porque quería verla feliz y, por último, porque él quería ser feliz.

Y aquella noche lo había sido.

Antes de que el botones apareciera con el champán, estaba a punto de hacerle el amor; pero ahora necesitaba presionarla y conseguir que empezara a recordar.

Tenía un buen motivo para ello. Un motivo egoísta, que iba más allá de su recuperación.

Quería que aquel amor y aquel deseo tuvieran una base real, que dejaran de ser un paréntesis en la ensoñación general de Laura. Albergaba la esperanza de que, si recobraba la memoria en aquel momento, cuando se sentía tan evidentemente cerca de él, fueran capaces de superar el dolor y la ira de su separación.

Se sentó en el sofá, se pasó una mano por el pelo y miró a su exmujer.

–Ven aquí. Tenemos que hablar.

Laura cruzó la sala y se sentó a su lado.

–¿De qué?

–Tenemos que pedir una cita.

–¿Una cita? –preguntó sin entender.

–Sí, con el médico.

Laura parpadeó.

–Pero si estoy bien...

–Eso no es verdad.

Laura quiso protestar, pero él se le adelantó.

–Deja que te haga una pregunta. Y piénsalo bien antes de contestar.

Ella asintió.

–Adelante.

–Cuando estabas en el hospital y pensaste que te habías quedado embarazada... ¿estás segura de que no confundiste los tiempos?

–¿Los tiempos?

–Sí. Puede que la sensación de estar embarazada no fuera de entonces, sino de otro momento del pasado –respondió.

Laura lo miró con perplejidad y cierta irritación.

–Eso es ridículo. Por todos los diablos, Bishop... ¿crees que no me acordaría si hubiera tenido esa sensación antes?

Él tragó saliva. De todas las preguntas que le podía hacer para intentar que recobrara la memoria, aquélla era la que tenía más posibilidades de alcanzar su objetivo. Ya había disparado la bala. Ahora sólo tenía que esperar.

–¿Por qué me miras así, Bishop? –preguntó.

Tuvo la impresión de que Laura estaba terriblemente asustada; pero su voz había sonado normal, incluso tranquila.

Él bajó la cabeza un momento y la sacudió con angustia. Su pregunta no había tenido el efecto deseado, pero podía formular otra, más explícita.

La miró otra vez a los ojos y dijo:

–Laura, ¿cómo crees que reaccionarías si perdieras un hijo?

Ella contuvo la respiración y sonrió de repente. Parecía aliviada.

–Ah, así que estabas preocupado por eso... No te preocupes tanto, Bishop; cuando me quede embarazada, no pasará nada malo. Estoy convencida de ello. No pasará nada malo... ten un poco de fe.

A Bishop se le hizo un nudo en la garganta. Aquella situación era tan absurda, tan injusta y retorcida que no sabía si reír o llorar.

Su estrategia había fracasado y no tenía más balas en la recámara. Se preguntó qué pasaría si no recobraba la memoria nunca y se dijo que seguramente sería feliz. Hasta era posible que Grace tuviera razón y que el destino les hubiera ofrecido una segunda oportunidad.

Entonces, ella le puso una mano en la pierna y dijo:

–Has mencionado algo sobre bailar.

Antes de que él pudiera hablar, Laura se levantó y le tendió una mano. Bishop la miró unos segundos, con expresión atormentada.

En aquella situación no existía ni el bien ni el mal. Ganaría y perdería al mismo tiempo, hiciera lo que hiciera. Y no había forma alguna de prever el futuro.

Por fin, la tomó de la mano y se levantó.

En la terraza de la suite soplaba una brisa fresca. Al fondo, se oía música procedente de alguno de los locales de la zona.

Bishop le puso las manos en la cintura y se empezó a mover.

–Te amo –dijo Laura.

En ese momento, él tomó una decisión.

Decidió olvidar el hombre que era entonces, el hombre cuyo corazón se había partido en mil pedazos, el hombre que se había prometido a sí mismo que no se volvería a enamorar.

Decidió asumir el personaje de su pasado y hacer algo más que ponerse la máscara del Samuel Bishop que se había casado con ella. Lo sería realmente, sin fingir. Se libraría del miedo a lo que pudiera pasar, heredado de la muerte de su hermano, y sería un hombre que deseaba tener hijos tanto como Laura.

En cualquier circunstancia. Con cualquier riesgo.

Le apartó un mechón de la cara, susurró su nombre y declaró:

–Yo también te amo.

Capítulo Ocho

A la mañana siguiente, Laura no se podía levantar.

No se sentía enferma; de hecho, nunca se había sentido mejor ni más feliz. Tras las horas de amor de la noche, no deseaba otra cosa que permanecer eternamente junto a su marido, sintiendo el calor de su piel y satisfaciendo una y otra vez su deseo.

No podía vivir sin la textura de su cabello, sin el sonido de su voz profunda, sin el aroma que la embriagaba cada vez que apretaba la cara contra su pecho.

Además, tenía la esperanza de que no se cansara nunca de ella.

Hacia las nueve, Bishop se levantó para hacer unas llamadas y Laura entró en el cuarto de baño para ducharse. Mientras se lavaba el pelo, sonrió al recordar que le había prometido una sorpresa para aquella mañana.

No sabía lo que podía ser. Suponía que no se trataría de otra joya, porque ya tenía más de las que podía usar. Quizás, tras los recuerdos de su luna de miel, hubiera decidido invitarla a un crucero.

Cerró el grifo y se empezó a secar delante del espejo.

Las cosas no podían ir mejor. Sólo faltaba que

Bishop entrara en razón y aceptara dejarla embarazada.

Cuando salió del baño, él se encontraba junto a la ventana del dormitorio. Pero no estaba interesado en las vistas del puerto, de los barcos, de los restaurantes del barrio y del Museo Marítimo; estaba, como tantas otras veces, hablando por teléfono.

Llevaba unos vaqueros de color azul oscuro y no se había puesto nada más, pero a Laura no le importó porque le encantaba su cuerpo, de músculos perfectamente definidos. Tenía unos hombros dignos de una estatua clásica.

Segundos después, él cortó la comunicación, se acercó a ella y la besó.

–Hueles tan bien que te comería. Demasiado bien.

Ella sonrió.

–¿Demasiado?

Él le puso las manos en el cuerpo y le acarició suavemente los pechos. Laura se estremeció de placer.

–En efecto –murmuró.

Ella sintió que sus piernas se quedaban sin fuerzas y sus pulmones, sin aire. Le puso una mano en el hombro, cerró los ojos durante un momento y suspiró.

–¿Intentas convencerme para que nos quedemos todo el día en la suite? –preguntó con voz seductora.

–Sólo digo que me vuelves loco.

–Eso no puede ser malo...

Bishop la miró fijamente.

–¿Seguro que no? ¿Me prometes que no cambiarás nunca de opinión?

Ella rió, algo confusa. Suponía que la pregunta de Bishop era una broma, pero la había formulado de un modo excesivamente intenso.

Sin embargo, su perplejidad duró muy poco. Justo entonces, él alcanzó una de sus camisetas y dijo con naturalidad:

–He pedido que nos suban crepes de arándanos para desayunar. Los acaban de traer –le informó–. Están en la mesa.

Ella se llevó una mano al estómago. Ya se sentía bastante culpable por haberse comido aquella tarta de chocolate en la terraza.

–¿Pretendes que engorde?

–Que estés más gorda o más delgada, me parece irrelevante –respondió–. Me gustas de todas formas.

Laura respiró hondo y pensó que tampoco era para tanto; como había perdido peso, se podía permitir el lujo de comer más de la cuenta.

Se sentó a la mesa y dejó que Bishop le llevara un pedazo de crepe a la boca.

–Qué maravilla...

–Están buenos, ¿verdad?

–Sí, me gustaría que a mí me salieran tan bien.

–¿Has visto que yo me queje alguna vez de tus artes culinarias?

Ella sonrió.

–No, no te has quejado nunca.

–Porque no tengo motivos para ello –afirmó–. Además, no quiero que pierdas el tiempo en la cocina... lo bueno del servicio de habitaciones es que nos podemos concentrar en lo importante, en nosotros.

Él se inclinó y le lamió los labios. Sabían dulces.

–Estás decidido a que nos quedemos en la suite, ¿eh?

Bishop asintió.

–Por descontado. Pero recuerda que también está la sorpresa que mencioné.

–¿Qué es? –preguntó con la boca llena.

Bishop rió y se levantó de la silla.

–Lo sabrás cuando termines de desayunar.

Dos minutos después, Laura y Bishop cruzaron el vestíbulo del hotel. Él ya tenía el tique del coche y estaba esperando a que se lo llevaran cuando reconoció a alguien que se encontraba junto a los ascensores.

Era Willis.

Cuando su amigo y compañero lo reconoció, decidió acercarse antes de que lo hiciera él y metiera la pata. Willis sabía que se había divorciado de Laura y que habían terminado de mala manera. Por desgracia, su amigo se adelantó.

–Hola, Willis.

–Hola, Bishop. Precisamente venía a verte...

–Permíteme que te presente a Laura.

Willis le estrechó la mano.

–Encantado de conocerte.

–Así que tú eres el nuevo ayudante de mi esposo...

Willis arqueó una ceja.

–Bueno, tanto como nuevo...

Bishop decidió intervenir para evitar males mayores.

–Willis se refiere a que nos conocemos desde hace tiempo. Pero discúlpanos un momento, Laura; tenemos que hablar de negocios.

Bishop tomó a Willis del codo y lo llevó a un aparte. Cuando ya se habían alejado lo suficiente, preguntó:

–¿Qué diablos haces en el hotel?

–He venido porque no contestabas mis llamadas ni mis mensajes de correo electrónico. Esos tipos van en serio, Sam; completamente en serio. No han dejado de llamar a la oficina. Quieren ver nuestros libros de contabilidad tan pronto como sea posible... Si sigues interesado en vender, será mejor que hagamos algo.

De repente, Willis entrecerró los ojos y lo miró con humor.

–Cuando dijiste que estabas ocupado, imaginé que estarías con Annabelle... no sabía que te habías buscado a otra.

–Laura es mi esposa. Bueno, mi exmujer.

Willis se quedó boquiabierto.

–¿Tu qué?

–Lo que has oído.

–Ahora sí que no entiendo nada. Por lo que me contaste, tenía la impresión de que preferirías morir antes que volver a estar con ella.

Bishop se frotó la nuca.

–Sí, bueno... es complicado.

–Ya me lo imagino.

–Es que Laura sufrió un accidente el viernes. Por eso me marché tan pronto del despacho –explicó.

–Pues ahora tiene buen aspecto...

–Sí, tiene un aspecto magnífico. Salvo por el pequeño detalle de que padece amnesia y ha olvidado los dos últimos años de su vida.

Willis tardó un momento en reaccionar.

–¿Los dos últimos años?

Bishop asintió.

–Entonces, eso significa que ella... que cree que vosotros... oh, Dios mío.

Bishop volvió a asentir.

–Como ves, es complicado.

–¿Y qué vas a hacer?

Bishop respiró hondo y eligió cuidadosamente sus palabras.

–El viernes me quedé con ella porque no tenía otra opción. Laura necesitaba que alguien la cuidara durante el fin de semana... Y ahora, después del tiempo que hemos pasado juntos, me pregunto si no podríamos salvar lo que tuvimos.

Bishop ni siquiera sabía por qué se lo estaba contando. Willis era su amigo y confiaba plenamente en él, pero no tenía la costumbre de hacer confesiones tan íntimas. Quizás se lo había dicho porque necesitaba pronunciar las palabras en voz alta. Quizás, porque así se daría cuenta de que la esperanza de volver con Laura era ridícula.

–¿Salvar vuestro matrimonio? –preguntó Willis con las manos en los bolsillos–. ¿Te refieres a salvarlo si recupera la memoria? ¿O a salvarlo si no la recupera?

–Ése es el otro problema que tengo.

–Bueno, sé que no es asunto mío y que seguramente no necesitas que te lo digan, pero ve con pies de plomo. Si decides seguir por ese camino, lo encontrarás lleno de baches y de pozos sin fin.

Bishop gruñó. La metáfora no podía ser más acertada.

–Tengo intención de llevarla esta semana a ver a un neurólogo –le adelantó–; tal vez se pueda hacer algo. Pero entre tanto...

–Entre tanto, tienes una esposa que está loca por ti y que en el fondo de su inconsciente te odia con toda su alma. Menuda situación.

Bishop bajó la cabeza y se miró los pies.

–Oh, no... Sam, no me digas que has...

Él no dijo nada.

–Dios mío, ¿te has acostado con ella?

–No necesito que nadie me lo reproche, Willis. Ya me lo reprocho yo bastante.

–Bueno, míralo por la parte positiva... dudo que vuestro segundo matrimonio, por así decirlo, termine peor que el primero.

–Al menos, ahora sé lo que puedo esperar.

Willis rió.

–¿Con una mujer? Estarás de broma, claro... En fin, tú sabrás dónde te metes. ¿Qué quieres que haga con el comprador?

–Di que no me has podido localizar y que me pondré en contacto con él en algún momento de la semana.

Hasta el viernes de la semana anterior, Bishop estaba seguro de querer vender la empresa y cambiar de vida; pero ya no lo estaba tanto. La empresa le recordaba el fracaso de su matrimonio, pero las cosas habían cambiado.

De todas formas, no tenía que tomar una decisión en ese momento. Podía esperar unos días.

Volvieron con Laura y Willis se despidió.

–Me alegro de haberte visto, Sam.

–Tienes que venir a cenar con nosotros en la casa de la montaña –intervino Laura–. Y si estás casado o tienes novia, tráela contigo.

–Lo haré. Las montañas le encantan.

–A mí también –aseguró–. Pero tengo una idea... ¿por qué no quedamos el fin de semana que viene?

–Bueno, no sé qué decir. El fin de semana tengo mi fiesta de cumpleaños y...

–Bueno, no importa, ya quedaremos en otra ocasión.

Bishop suspiró.

–Willis no se refiere a eso, cariño. Es que nos había invitado a su cumpleaños, pero me olvidé de decírtelo.

–Oh, vaya... entonces, nos veremos de todas formas.

–Sé que mi esposa se alegrará mucho de conocerte –dijo Willis–. Bueno, Sam, seguiremos hablando en otro momento.

Willis se marchó y el recepcionista del hotel se acercó a la pareja.

–¿Anoche recibieron el champán?

–Sí, muchísimas gracias –respondió Laura–. Fue un detalle de su parte, aunque no era necesario...

–Por supuesto que lo era. El señor Bishop siempre ha sido muy amable con nosotros –afirmó–. Me alegra que haya vuelto.

Salieron del edificio y se dirigieron al coche, que ya les habían dejado en el vado.

–¿De qué has hablado con Willis? ¿De la venta de la empresa?

–En efecto.

–¿Tienes que ir a la oficina?

–No, no es necesario.

–Entonces, aún podemos salir juntos...

Laura lo miró con tanta inocencia que Bishop sonrió.

–Por supuesto. Pero no me mires así, como si te sorprendiera.

Ella bajó la cabeza.

–No se trata de eso. Sé que me quieres mucho, pero no imaginaba que serías capaz de posponer asuntos importantes de la empresa para salir conmigo y pasar el día por ahí –le confesó.

Mientras subían al coche, Bishop pensó que Laura tenía razón. No se había dado cuenta, pero había antepuesto su relación a sus obligaciones profesionales. Y eso también había cambiado. Cuando se casaron, acababa de fundar la empresa y no tenía más remedio que dedicarle casi todo su tiempo. O al menos, era lo que se decía a sí mismo.

En realidad, sólo empezó a trabajar en exceso cuando se dio cuenta de que su matrimonio se había empezado a romper.

Se sentó al volante y arrancó.

Ahora tenía una segunda oportunidad.

***

Media hora después, Bishop detuvo el vehículo y Laura se mordió el índice de la mano derecha.

–Estoy nerviosa –confesó.

–¿Nerviosa? Si no te gusta ninguno, no compraremos ninguno.

–Es que me preocupa que me gusten todos...

Él rió.

–¿Qué prefieres? –continuó ella–. ¿Macho? ¿O hembra?

–Lo que tú digas.

–No sé, podríamos comprar uno de cada.

–Dios mío... como no me ande con cuidado, comprarás una docena.

Salieron del coche y llamaron a la puerta de la casita de campo, donde les abrió una mujer que se presentó como Sandra Knightly y les invitó a entrar. En una de las habitaciones de la casa había una retriever preciosa que acababa de tener cuatro cachorritos.

–Como le dije durante nuestra conversación telefónica, son tres machos y una hembra –comentó la mujer.

–¿Sólo una hembra? –preguntó Laura.

–Sí, es aquélla, la más tranquila de todos... tienen seis semanas. Podremos separarlos de su madre dentro de quince días.

Laura asintió.

–¿Ella no los echará de menos?

–Bueno, supongo que es como si usted tuviera

hijos y se fueran a estudiar a la universidad. Cosas que pasan –bromeó.

–No sé si sería capaz de dejarlos ir...

–¿Quiere tenerla en brazos?

Los ojos de Laura se iluminaron.

–¿Puedo?

–Claro que sí. Les encanta el contacto humano.

Sandra alzó la perrita y la puso en las manos de Laura, que le acarició el pelo. La perrita giró la cabeza y la frotó contra su nariz.

–Oh, vaya... huele muy bien...

Sandra rió.

–¿Quieren que se la reserve?

–No, todavía no –intervino Bishop.

–¿Por qué no? –bramó su exmujer.

Laura se quedó tan sorprendida como él. No pretendía hablarle en ese tono, más parecido a un ladrido que a otra cosa.

Bishop miró a Laura y dijo:

–Tenemos que hablarlo primero.

–Sí, es perfectamente natural. A fin de cuentas es una decisión difícil –observó–. De todas formas, toda la información relevante está en la página de Internet que ya conocen. Si tienen alguna duda, llámenme por teléfono.

Laura dejó a la perrita con sus hermanos.

–Sigue tan bien, pequeña. No quiero perderte...

Dos minutos más tarde, estaban de vuelta en el coche. Laura se sentía tan feliz que no podía contener su entusiasmo.

–Es perfecta, ¿no te parece?

Bishop se puso las gafas de sol.

–Sí, es muy bonita.

–¿Podemos quedarnos con ella?

–No veo por qué no. Pero tendríamos que estar seguros.

Laura apretó los dientes y gimió.

–¡Yo estoy segura!

Él sonrió.

–Mira, no me importa si tiene o no tiene pedigrí –insistió–. Me da igual que proceda de una familia de chuchos o de una de campeones... Me quiero quedar con ella de todas formas.

–¿Y qué pasará si enferma y la pierdes? Recuerda lo que decía la página de Internet. Son proclives a ciertas enfermedades.

–Si se muere, lo pasaré mal. Pero no la querré menos por eso ni culparé a nadie de mi decisión. Y desde luego, no te culparé a ti.

–¿Seguro que no?

–Sé que sólo quieres protegerme, que no quieres que pase nada malo... y te adoro por ello. Pero el futuro es imprevisible; nunca sabemos lo que va a pasar. No hay más remedio que tomar decisiones y seguir adelante, con la esperanza de que las cosas salgan bien. La alternativa sería esconderse de todo y renunciar a los sueños.

–Supongo que tienes razón.

–Claro que la tengo. Y nos tenemos que apoyar el uno al otro... es como lo de tu empresa. Si decides venderla a una multinacional, estaré a tu lado. Si decides quedártela, estaré a tu lado –afirmó–. Sé que tú harías lo mismo conmigo.

Una vez más, Bishop supo que sus palabras tenían segundas intenciones. No se refería únicamente a la perrita.

Bishop frunció el ceño un momento. Después, miró hacia la casa de Sandra Knightly y asintió una vez.

–Está bien, tú ganas –declaró–. Pero recuerda que no la puede separar de su madre hasta dentro de quince días...

Laura soltó un grito de alegría y le pasó los brazos alrededor del cuello.

Bishop había tomado una decisión sin importancia aparente. Al fin y al cabo, sólo se trataba de comprar un perro.

Pero en el fondo de su corazón, Laura supo que, al tomar la decisión de la perrita, Bishop había derribado otros muros.

Capítulo Nueve

Cuando llegaron a la casa de la montaña, Bishop no sabía si sentirse aliviado o culpable por haberse mostrado de acuerdo en comprar la perrita.

Ese problema también se les había presentado durante su matrimonio; Laura se empeñó en tener un perro y él empezó a buscar, pero luego se quedó embarazada y olvidó el asunto. Lamentablemente, sabía que la posibilidad contraria era imposible; aunque tuviera un perro, no olvidaría su deseo de quedar encinta y tener un hijo propio.

Mientras aparcaba el coche en el garaje, recordó lo que había pensado la primera vez, cuando sólo llevaban tres meses de casados y su exmujer le planteó la posibilidad de romper su acuerdo de adoptar un niño. Entonces, decidió que, si ella estaba dispuesta a arriesgarse, él no tenía más opción que apoyarla. A fin de cuentas, la amaba con locura; incluso creía que su matrimonio duraría para siempre.

Entraron en la casa y Laura se dirigió al salón. Por suerte, Bishop había encontrado la fotografía de su boda, que estaba en el armario de la habitación de invitados, y la había devuelto a la pared de la chimenea. Sin embargo, ella ladeó la cabeza y miró la imagen con ojos entrecerrados, como si algo no estuviera como debía estar.

–Está torcida –dijo.

Él se acercó para ponerla bien.

Laura siguió mirándola.

–En ciertos sentidos, parece que han pasado mil años desde entonces; pero sólo han pasado tres meses –comentó–. ¿No es increíble?

Él sonrió.

–Sí que lo es.

Bishop enderezó la fotografía y ella dijo:

–Perfecto.

De repente, él se acordó del retrato que les habían pintado en la terraza. Lo había dejado en el maletero del coche.

–¿Dónde quieres que pongamos el cuadro?

–¿El del pintor de la terraza? Bueno, primero tendríamos que ponerle un marco... creo que le vendría bien uno moderno, sencillo.

Al ver que Laura se dirigía al teléfono con intención de llamar a alguien, Bishop reaccionó en seguida y puso una mano sobre el auricular.

–¿Por qué haces eso? –preguntó, extrañada.

Él dijo lo primero que se le ocurrió.

–Porque acabamos de llegar a casa... tal vez quieras descansar un poco y tomar un café antes de ponerte en contacto con el mundo exterior.

–Sólo quería hablar con Kathy. Me dijo que me llamaría para hablar sobre el asunto de la biblioteca, pero no lo ha hecho. Creo que ya te he hablado sobre los cursos de literatura que pensábamos dar... aunque supongo que podemos discutirlo el miércoles, cuando nos reunamos.

Una vez más, Bishop se preguntó qué era lo correcto. Sentía la necesidad instintiva de proteger a Laura, pero tal vez fuera mejor que le permitiera hablar con Kathy; la amiga de su exmujer la podía ayudar a recobrar la memoria.

Resignado, apartó la mano del teléfono y dio un paso atrás.

–No te preocupes, no estaré hablando toda la tarde –le prometió.

–Habla todo lo que quieras.

Bishop se alejó por el pasillo, tan deprimido como si se hundiera en un pozo sin fondo. Después, salió a la terraza de poniente y permaneció allí du rante unos minutos que se le hicieron eternos.

Cuando oyó que Laura se acercaba, respiró hondo y se dispuso a afrontar cualquier tipo de situación. A fin de cuentas, Willis tenía razón cuando ironizó diciendo que, en el peor de los casos, su segunda oportunidad con Laura no podía tener un final más desagradable que la primera.

–¿Estaba en casa? –preguntó.

–¿Kathy? Sí –respondió ella con expresión neutra.

Bishop se sentó en una de las sillas.

–Pero su hija y su nieta estaban presentes y no podía hablar conmigo –continuó–. De todos modos, me ha dicho que esta semana no tenemos reunión.

Él se puso tenso.

–¿Ah, no? ¿Por qué?

–No lo sé. Me ha prometido que me llamaría

más tarde, pero yo le he dicho que no se moleste, que acabamos de volver de la ciudad y que estoy algo cansada.

–¿Y qué ha dicho ella?

–Nada. La niña se ha puesto a gritar en ese momento y ha tenido que colgar.

Bishop suspiró, aliviado.

–No sabía que Kathy tuviera una nieta... ¿cuántos años tiene?

–Creo que tres o cuatro meses.

–¿Y cómo se llama?

Laura soltó una carcajada.

–¿A qué vienen tantas preguntas? ¿Desde cuándo te interesan las nietas de una bibliotecaria local?

–Todo lo tuyo me interesa...

Ella sonrió.

–¿Hasta qué punto? –contraatacó.

–Hasta donde sea necesario.

–¿Hasta el extremo de tomarte otro día libre?

Él le miró los labios.

–Pides muy poco, cariño...

La cara de Laura se iluminó con una sonrisa radiante; pero su expresión cambió súbitamente y se volvió sombría.

Bishop se acercó y le puso las manos en los hombros.

–¿Qué ocurre?

Ella sacudió la cabeza.

–No lo sé... Supongo que no estoy acostumbrada a que te tomes días libres. Y no es que no quiera, es que...

–¿Qué? –preguntó con ansiedad.

Laura miró la cara de Bishop. Estaba pálida.

–Necesito saber una cosa.

–Adelante, pregunta lo que quieras.

–¿Me estás ocultando algo, Bishop?

Laura tenía una sensación muy extraña. No sabía en qué consistía, pero no era agradable. De repente, pasaba cualquier cosa sin importancia como el encuentro de Bishop con Willis o la inclinación de la fotografía de la chimenea y se sentía como si la realidad estuviera incompleta y algo intentara abrirse camino desde las profundidades de su inconsciente.

Bishop asintió.

–Sí. Hay una cosa.

Ella casi se sintió aliviada con su respuesta. Empezaba a creer que se estaba volviendo loca.

–No te he dicho que...

Bishop estuvo a punto de contarle toda la verdad de golpe, pero decidió dar un pequeño rodeo.

–No te he dicho lo mucho que significabas para mí.

Laura frunció el ceño.

–¿Lo mucho que significaba? Querrás decir lo mucho que significo...

–Bueno, sólo quería que lo supieras.

El comentario de Bishop no contribuyó a paliar su inquietud. Lo había dicho con tanta gravedad como tristeza.

–Lo sé, cariño. Yo siento lo mismo por ti.

–Cuando te vi en la cama del hospital, me sentí tan angustiado...

–¿Creíste que el corazón me había fallado? –preguntó ella, malinterpretándolo–. Pero, Bishop... entonces me habrían llevado a la unidad de enfermedades coronarias. Además, no tienes que preocuparse por eso. Está bajo control.

–No sabía qué esperar, Laura.

–¿Por eso te comportaste de forma tan rara?

Él asintió.

–No era la primera vez que te veía en un hospital.

Ella sacudió la cabeza.

–Estás equivocado...

–¿Seguro que lo estoy?

Laura sintió un pinchazo en la cabeza y tuvo la impresión de que un montón de imágenes inconexas empezaban a cobrar sentido; pero la impresión desapareció enseguida y sólo le dejó debilidad y confusión.

–Bishop... ¿te importa si me acuesto temprano? Estoy muy cansada. Supongo que será porque pasamos casi toda la noche despiertos.

–¿Te duele la cabeza?

–No, no, sólo es cansancio –mintió–. Si no te importa, me retiraré ahora mismo. Despiértame cuando te acuestes, por favor.

Él asintió, la besó en la frente y ella se alejó por el pasillo.

Estuvo a punto de girarse para pedirle que se lo prometiera, pero no lo hizo porque no podía pensar con claridad.

La cabeza le dolía demasiado.

Capítulo Diez

A la mañana siguiente, Bishop llevó a Laura a la consulta de un médico local.

La consulta de la doctora Chatwin, una mujer morena de treinta y tantos años, estaba decorada con cuadros y diplomas, pero Bishop sólo se fijó en la calavera que tenía encima de un archivador; le pareció perfectamente adecuado para un médico, aunque resultaba algo inquietante.

–Tomen asiento, por favor.

Los dos se sentaron.

–Su marido me llamó esta mañana y tuvimos ocasión de charlar un rato, señora Bishop –continuó.

Laura cruzó las piernas. Llevaba un vestido de color rosa pálido que Bishop siempre le había gustado.

–Si no te importa, prefiero que me tutees. Llámame Laura.

La doctora Chatwin sonrió.

–Tengo entendido que la semana pasada te diste un golpe en la cabeza y que tienes algunas dificultades.

–Bueno, tanto como dificultades...

La doctora se recostó en el sillón.

–Pero tienes problemas de memoria, ¿verdad?

–Sí, hay cosas que están... no sé, brumosas –acertó a decir.

–¿Duermes bien? ¿Has sufrido mareos, falta de sueño o dolores de cabeza? –preguntó mientras escribía algo en el ordenador.

–Dolores de cabeza.

–¿Irritación? ¿Confusión?

–Sí, supongo que sí.

Mientras Bishop estiraba las piernas, contento de dejar a Laura en manos de una profesional, la doctora Chatwin la auscultó, comprobó la dilatación de sus pupilas y le formuló preguntas sencillas como su nombre, el nombre de la ciudad donde vivían y la fecha. Pero no se mostró sorprendida cuando Laura le dio una fecha de dos años atrás.

La mujer tomó unas notas más y dijo:

–Querréis hablar con un especialista, ¿verdad?

–Sí, se te agradeceríamos mucho –dijo Bishop.

–Os daré los datos del doctor Stanza. Es uno de los mejores neurólogos de Sydney... pero el caso no es urgente y sospecho que tendréis que esperar.

–¿Cuánto tiempo? –preguntó él.

–Llama a su consulta. Estoy segura de que te dará cita tan pronto como le sea posible.

La doctora redactó una carta para el neurólogo y la metió dentro de un sobre, que cerró. Después, apuntó sus datos por fuera y se lo dio.

–Supongo que los médicos del hospital os informaron en su debido momento. Los pacientes suelen recuperar la memoria en estos casos, pero tampoco es extraño que no la recuperen... la amnesia podría ser permanente.

–Sí, ya nos informaron.

La doctora se levantó.

–No te preocupes demasiado, Laura –continuó–. Tu estado físico es excelente y estoy segura de que te encontrarás bien. Sobre todo, con los cuidados de un hombre tan atento como el que tienes.

Cinco minutos después, estaban en el coche. Laura se sentía más tensa que antes y Bishop se dio cuenta enseguida.

–¿Qué te pasa?

Laura no se quería quejar. Sabía que Bishop tenía buenas intenciones y que sólo quería lo mejor para ella. Por otra parte, tampoco podía negar quc estaba confundida, que tenía sensaciones extrañas y que a veces le dolía la cabeza de forma incomprensible.

–Dímelo, Laura. –insistió.

–Es que no necesito ver a un especialista –dijo al fin–. Y has oído a la doctora Chatwin. Ha dicho que no tengo ningún problema físico y que no es un caso urgente.

–Lo sé, pero...

–No quiero hacer perder el tiempo a un neurólogo. Además, nos cobrará una fortuna sólo por entrar en su consulta.

Él sonrió.

–El dinero no es un problema. Lo sabes de sobra.

–Pero ésa no es la cuestión. La doctora ha dicho que estoy bien –repitió.

–Has dicho que estás físicamente bien, que no lo es mismo –puntualizó Bishop–. No le des tanta importancia... por pedir una cita, no perdemos nada.

Ella se cruzó de brazos.

–Por supuesto que sí. Perderemos el tiempo.

–Pues lo perderemos. Pero irás –declaró, rotundo.

Bishop arrancó y tomó el camino a casa. Laura giró la cabeza y se dedicó a mirar por la ventanilla, molesta. Comprendía que la quisiera cuidar y proteger, pero le disgustaban las órdenes y, sobre todo, odiaba los médicos, las consultas y los hospitales.

Además, la noche anterior no había dormido con ella. Cuando despertó y vio que no estaba allí, sintió un vacío en la boca del estómago; fue como si ya hubiera adivinado o soñado que estaría ausente. Pero no le dijo nada sobre aquella sensación; si se lo decía, se preocuparía y le haría más preguntas.

Sin embargo, entendía que Bishop quisiera que viera a un especialista antes de dar su consentimiento para que se quedara embarazada. Siempre había sido un hombre previsor y cauteloso. Antes de dar un paso, se lo pensaba mil veces.

No tenía más opción que apretar los dientes y ver al neurólogo. Se demostraría que estaba bien y ya no quedaría ningún obstáculo en su camino.

Tres días después, Bishop estaba en el jardín, cortando leña para la chimenea del salón. Después de llevar a su exmujer al médico, había tomado la decisión de quedarse con ella toda la semana. Y ahora, mientras contemplaba el hacha que había usado para cortar la leña, pensó que el hacha metafórica de la memoria de Laura podía caer en cualquier momento y cambiarlo todo.

Era consciente de estar viviendo en una gran mentira. Pero no seguía adelante con la farsa porque fuera un manipulador, sino porque estaba atrapado en una situación particularmente difícil.

Laura apareció poco después, llevando su teléfono móvil en la mano y arrastrando los olores del guisado y del postre de chocolate que preparaba en la cocina.

Bishop pensó que había extrañado sus comidas. Había extrañado muchas cosas.

–Es Willis –dijo ella, antes de pasarle el teléfono–. Por cierto, deberías ponerte un sombrero... te traeré uno.

Él estuvo a punto de decirle que no se molestara, pero le encantaba que cuidara de él y se calló.

Bishop se llevó al teléfono a la oreja y Laura volvió a sus cosas.

–Le he dado tantas largas que se están empezando a cansar, Bishop –dijo Willis–. Quieren hablar contigo, Sam.

Bishop se secó el sudor de la frente con la mano y pensó que Laura tenía razón. Necesitaba un sombrero.

–Esta semana no va a ser posible.

–Entonces, que sea a principios de la que viene.

–Ya te llamaré. Ahora no puedo hablar contigo... Laura está a punto de servir la comida y huele maravillosamente bien.

Willis insistió.

–Ya tiene todos los datos que quería sobre la empresa, pero vuelve a llamar constantemente. Deberías hablar con él, aunque sólo fueran cinco minutos... Ya sabes que esos detalles son importantes.

Bishop sabía que Willis tenía razón, pero no estaba de humor para pensar en problemas de negocios.

–Dile que lo llamaré la semana que viene.

Willis se quedó en silencio durante unos segundos.

–¿Puedo ser franco contigo, Sam?

–Para eso te pago.

–¿Laura no ha recuperado la memoria?

–No.

–Sé que sólo quieres ayudar, pero no podrás impedir que el pasado te alcance y te vuelva a atrapar.

–¿Qué significa eso?

–Bishop... aunque Laura no llegue a recuperar la memoria, tienes que decirle la verdad de todos modos. Lo sabes muy bien.

–No es tan fácil.

–Me lo imagino. Razón de más para que seas cauteloso.

Por supuesto, Willis también tenía razón en ese punto. Bishop estaba enredado en una telaraña donde el pasado y el presente se confundían, pero uno de los dos tenía que mantener los pies en el suelo. Y sólo podía ser él.

De repente, Willis cambió de conversación.

–¿Vais a venir mañana?

Obviamente, se refería a su fiesta de cumpleaños. A Bishop no le agradaba la idea porque podía ocurrir algo que cambiara el estado de Laura. Pero su amigo estaba en lo cierto; no podía vivir en el pasado.

–Por supuesto.

–Excelente. Así podremos charlar un rato.

Bishop cortó la comunicación. Laura regresó entonces y le plantó un sombrero de paja en la cabeza.

Él sonrió.

–Muchas gracias...

–¿Va todo bien en la oficina?

–Sí, perfectamente.

–Me encanta que te hayas tomado una semana libre, pero si ha surgido algo importante, entenderé que te vayas... no quiero que te quedes por mí. Me encuentro bien.

Bishop asintió.

–¿Qué le podemos regalar a Willis para su cumpleaños? –continuó ella–. ¿Sabes si le gusta el ajedrez?

–Lo desconozco.

–¿No se lo has preguntado nunca?

–No ha surgido la conversación...

–Pero sé que tienes un tablero de ajedrez en el despacho. Lo sé porque fue uno de mis regalos de boda.

Bishop lo recordaba perfectamente. Le había regalado un tablero con piezas de oro de veinticuatro quilates. Una verdadera maravilla.

–Ah, había algo que te quería preguntar... ¿Has visto a tus padres últimamente?

Él se quedó sorprendido. No esperaba esa pregunta.

–No. Ya sabes que viven en Perth.

–Lo sé, pero podrías llamarles por teléfono...

Sus padres se habían mudado unos años antes, y como Perth estaba a seis horas de avión de Sidney, se veían muy poco.

–He pensado que deberíamos invitarlos a pasar un par de semanas con nosotros –continuó Laura–. Tu madre me pareció una mujer encantadora cuando coincidimos en la boda... me gustaría conocerla mejor.

–Seguro que a ella también le gustaría.

–Pues llámalos después de cenar.

–Lo haré.

Bishop lo dijo por quitársela de encima. No tenía ninguna intención de llamar a sus padres, y menos en aquellas circunstancias.

–Debería arreglar un poco la habitación de invitados.

–No te molestes todavía, Laura. Mis padres viajan mucho –le recordó–. Cabe la posibilidad de que ni siquiera estén.

Mientras volvían a la casa, ella le pasó un brazo alrededor de la cintura y le apoyó la cabeza en el hombro. Al sentir el contacto de su cuerpo, Bishop pensó que ya había encontrado la excusa perfecta para no llamar a sus padres.

Ya era de noche cuando llegaron a la fiesta de Willis. Habían decidido que le regalarían una cena para su esposa y él en uno de los restaurantes más lujosos de Sidney, pero a Bishop no le preocupaba el regalo de su amigo, sino lo que pudiera ocurrir con Laura. Si alguien hacía un comentario que le resultara extraño, querría saber más y la situación se podía complicar mucho. Pero era tarde para volverse atrás.

Aparcó en el vado y salieron del vehículo.

Laura contempló las ventanas del edificio, tras las que se veía un montón de gente, y comentó:

–Tu amigo tiene muchos amigos.

Bishop le puso una mano en la espalda.

–Si no quieres entrar, nos podemos ir –dijo.

Ella sonrió.

–Claro que quiero entrar... es que estoy un poco nerviosa. No conozco a la mayoría de la gente que trabaja contigo.

Bishop se arregló un poco la corbata y pensó que conocía incluso a menos gente de la que creía. A fin de cuentas, estaba viviendo en el pasado y no sabía que habían pasado dos largos años desde su divorcio.

Una mujer de cabello rubio platino y vestido azul, ajustadísimo, se acercó a ellos en cuanto entraron. Él la reconoció al instante; era Ava Pryne, del departamento administrativo de Bishop Scaffolds.

–¡Señor Bishop! Le estábamos esperando...

–Te he dicho mil veces que me llames Sam, Ava.

A Bishop nunca le habían gustado las formalidades.

–Está bien... Sam.

Ava le dedicó una sonrisa tan encantadora que se quedó perplejo, aunque lo disimuló. Hasta ese momento, no se había dado cuenta de que estaba encaprichada de él.

Laura dio un paso adelante y se presentó.

–¿Trabajas en la empresa de mi marido, Ava?

La sonrisa de la rubia desapareció al instante.

–¿Marido?

Bishop ya estaba imaginando la cascada de preguntas y respuestas que vendrían a continuación cuando un camarero se acercó con una bandeja y salvó la situación sin pretenderlo.

–¿Desean beber algo?

Bishop eligió un zumo de naranja y Laura, una copa de champán.

–¿Quieres algo, Ava? –preguntó él.

Ava lo miró con curiosidad, pero comprendió que debía marcharse.

–No, no, gracias... Katrina, la chica de contabilidad, acaba de llegar. Tengo que hablar con ella –mintió–. Nos veremos más tarde.

Cuando se alejó, Laura arqueó una ceja.

–Es una suerte que no sea celosa –dijo.

–No tienes motivos para estar celosa.

Bishop fue sincero. Desde su punto de vista, ni Ava ni desde luego Annabelle se podían comparar con ella.

Miró el bufé, instalado en uno de los laterales de la sala, y contempló el surtido de quesos, carnes y comida asiática que habían preparado. Le pareció una ocasión perfecta para sentarse con Laura y evitar más presentaciones problemáticas.

–¿Cenamos?

Ella arrugó la nariz.

–No tengo hambre todavía. ¿Y tú?

Bishop se resignó.

–Supongo que puedo esperar... ¿Te apetece que bailemos?

Los ojos de su exmujer se iluminaron.

–Ah, veo que tú también la has reconocido...

–¿A qué te refieres?

–A la canción, por supuesto –respondió–. Es el vals que sonó en nuestra boda.

Bishop pensó que tenía razón y miró a su alrededor, buscando la pista de baile; pero aparentemente, no había.

–Podemos salir un momento –dijo ella, que también se había dado cuenta–. Hay una terraza al otro lado de ese balcón.

Él sonrió y le ofreció el brazo.

–Pues no se hable más.

Salieron a la terraza, que estaba completamente vacía, y se pusieron a bailar como si fueran la única pareja del mundo. Ella apoyó la cabeza en su hombro y él aspiró su aroma. Sólo se oía la música y el tintineo cristalino de una fuente cercana.

–Esta noche estás preciosa –murmuró.

Era cierto. Se había puesto un vestido negro, muy escotado en la espalda, que le quedaba particularmente bien; pero a Bishop le gustaba con cualquier indumentaria, desde unos simples vaqueros a un albornoz. Además, Laura era una mujer extraordinariamente bella y elegante, con una estructura ósea perfecta y unos ojos enormes.

–¿Y bien? ¿Te arrepientes de haberte casado conmigo? –preguntó ella de repente, con voz seductora.

Bishop decidió actuar con cautela. La conocía y sabía que el comentario buscaba algo más que un halago.

–¿Por qué dices eso?

–Porque he visto que hay muchas mujeres bonitas en la fiesta.

–La más bonita de todas está conmigo.

Ella giró la cabeza, miró las estrellas y dijo:

–¿Te has preguntado alguna vez por lo que estaremos haciendo dentro de diez años? ¿O incluso dentro de veinte?

Él respondió con sinceridad.

–El presente me importa más que el futuro.

–Pues yo me pregunto qué países habremos conocido y de cuántas celebraciones habremos disfrutado para entonces... Pero sobre todo, me pregunto si seguiremos tan enamorados como ahora.

Bishop sintió una punzada en el corazón y no supo qué decir.

A ella le extrañó su silencio y lo miró con curiosidad.

–¿Eres feliz, Bishop?

–¿No te parezco feliz? –acertó a preguntar.

Ella lo miró a los ojos.

–Sí. Y seremos felices siempre –afirmó–. Sólo estaba pensando que la semana que viene, después de que veamos al neurólogo y confirme que estoy bien...

–Eso no lo sabemos todavía.

Laura siguió hablando sin hacer caso.

–Estaba pensando que podríamos hablar sobre tener un niño.

Bishop se puso tenso.

–Ya veremos.

–No quiero presionarte, pero tendremos que hablar de ello en algún momento.

Él arqueó una ceja.

–Laura, no estamos en el lugar adecuado para sacar esa conversación.

Justo entonces, la música se detuvo. Alguien tomó un micrófono en el interior de la casa y empezó a hablar.

–¡Atención! ¡Ya ha llegado la tarta!

Laura se apartó de él y dio un paso atrás.

–Bueno, será mejor que volvamos...

–Ya hablaremos más tarde. Te lo prometo.

Ella sonrió con debilidad y a continuación volvieron con el resto de los invitados.

Durante su ausencia, los camareros habían llevado una tarta gigante a una de las mesas del fondo. La gente se había congregado a su alrededor y estaba esperando a que Willis soplara las velas.

–¡Apágalas de una vez! –gritó uno.

–¡Que hable! ¡Que hable! –gritó otro.

Willis alzó las manos para aplacar a la concurrencia y pedir un silencio que obtuvo.

–En primer lugar, quiero daros las gracias por estar aquí esta noche. Cumplir treinta años no es cualquier cosa... pero he disfrutado cada día de mi vida; sobre todo, desde que conocí a mi mujer. Sin ella no sería nada.

La mujer de Willis, que se había acercado, se ruborizó. Él se inclinó y le dio un beso corto pero apasionado.

–¡Te estás volviendo un blando con la edad, Will! –dijo alguien.

–Y va a ser aún peor –declaró Willis–, porque tengo una noticia que dar. Hayley y yo estamos esperando un niño.

La gente rompió a aplaudir y dar vítores. Bishop se giró hacia Laura y vio que había derramado una lágrima.

–No es nada. Es que me alegro tanto por ellos... –se justificó.

Bishop le acarició la espalda y pensó que había llegado el momento de marcharse. Ya se habían divertido un poco y habían bailado.

Pero no llegó a hablar. Willis se acercó entonces y dijo:

–Me alegra que hayáis venido.

Laura sonrió.

–Felicidades. Tu esposa y tú estaréis muy contentos.

–Y que lo digas...

Tras recibir docenas y docenas de felicitaciones, Hayley logró zafarse de los demás y unirse a ellos. La piel de su cara brillaba con la misma energía y exhuberancia que ella misma había sentido cuando se quedó embarazada.

–Hayley, supongo que te acuerdas de Sam Bishop; pero permíteme que te presente a Laura.

Bishop se dio cuenta de que mucha gente los estaba mirando. Era obvio que les sorprendía ver a su jefe en compañía de una mujer tan hermosa; especialmente, porque los dos llevaban anillo de casados.

–Me han hablado mucho de ti –dijo Hayley.

–Y yo estoy deseando conoceros mejor a ti y a tu marido. Tengo entendido que Willis empezó a trabajar hace poco para la empresa.

Bishop se alegró al observar que Hayley no mostraba perplejidad alguna. Willis la había informado de lo que pasaba.

–Willis me dijo que nos invitaste a vuestra casa de la montaña. Estoy deseando ir.

–Si esperas mucho, no podrás...

Hayley se llevó una mano al estómago.

–Sólo estoy de tres meses –explicó–. El médico afirma que no empezaré a sentir los movimientos del bebé hasta el mes que viene.

–¿Qué prefieres que sea? ¿Niño? ¿O niña?

–A mí no me importa, pero creo que Willis preferiría un niño.

Willis la tomó de la mano y Hayley le dio un beso en la mejilla.

–Voy a servir la tarta. ¿Queréis un pedazo? –continuó.

–Yo no, gracias –respondió Bishop.

–A mí tampoco me apetece, pero te lo agradezco igual.

Cuando Hayley y su marido se alejaron, Bishop miró a Laura y preguntó:

–¿Quieres que nos quedemos?

–Si no te importa, preferiría irme.

Él sabía que Laura se había deprimido por el embarazo de Hayley. Estaba seguro de que se alegraba por ella, pero también lo estaba de que sentía envidia.

–Está bien. Te llevaré a casa y hablaremos.

Bishop estaba deseando que llegara el día siguiente y que hablara con el especialista. Tenía que saber lo que le pasaba; debía saberlo con independencia de las repercusiones que tuviera. Aunque lo odiara y no quisiera verlo nunca más.

Mientras salían de la casa, Laura parpadeó y dijo:

–Sinceramente, Bishop, no quiero hablar. Sólo quiero quedarme embarazada. Y quiero que sea esta misma noche.

Capítulo Once

Ninguno de los dos habló durante el camino de vuelta. Ella estaba sumida en sus pensamientos y Bishop no sabía qué decir; comprendía que Laura deseara quedarse embarazada, pero no esperaba que quisiera empezar esa noche.

Cuando llegaron a la casa, él la tomó de la mano con intención de llevarla al dormitorio; pero Laura se detuvo de repente y dio otra sorpresa a Bishop: se llevó las manos al cierre del vestido y lo soltó.

La prenda cayó al suelo y quedó a sus pies.

Bishop admiró todas y cada una de las líneas de su cuerpo desnudo. Ella intentó interpretar la expresión de sus ojos; pero no pudo porque no habían encendido las luces y la casa estaba a oscuras.

–Quiero que lo hagamos junto al fuego –dijo.

Laura había imaginado la situación mil veces. Sabía cómo y dónde quería quedarse embarazada.

Bishop se quitó la chaqueta, la corbata y la camisa, que dejó en una silla. Después, dio un paso adelante y le acarició los senos.

–¿Quieres que encienda el fuego? –preguntó él.

Ella sonrió al imaginar su cuerpo a la luz de las llamas.

–No estaría mal.

Él jugueteó un poco más con sus pezones; después, entró en el salón y empezó a preparar el fuego. Laura aprovechó la circunstancia para quitarse los zapatos y poner cojines y una manta sobre la alfombra.

Cuando terminó, miró a Bishop y se preguntó si estaba haciendo bien. Era obvio que él la deseaba, pero no estaba segura de que quisiera tener un hijo. A fin de cuentas, no habían tomado ninguna decisión.

Sabía que lo estaba presionando de forma tan injusta como poco inteligente. Seguramente se saldría con la suya, pero cuando Bishop tuviera ocasión de pensar con claridad, cabía la posibilidad de que la odiara. Y no quería estar encinta en esas circunstancias. Equivaldría a demostrar que un capricho le importaba más que su relación con Bishop.

Ya estaba a punto de disculparse y de dar marcha atrás cuando él encendió el fuego, se dio la vuelta y sonrió.

En ese momento, Laura supo que Bishop no estaba enfadado; que era consciente de que lo hacía y de que estaba dispuesto a apoyarla.

Al ver la manta en la alfombra, comentó:

–¿Tienes frío? Echaré más leña al fuego.

Laura se tumbó.

Bishop se acercó a la chimenea y añadió un par de troncos; después, se desabrochó el cinturón de los pantalones y se quitó el resto de la ropa.

Laura lo admiró de nuevo y pensó que adoraba su cuerpo, su aroma, su risa, su forma de moverse. Estaba tan enamorada que no podía imaginar una vida sin él.

Bishop se arrodilló a su lado cuidadosamente, como si ella fuera un burbuja de jabón y tuviera miedo de que pudiera estallar y desvanecerse en el aire al menor contacto. Su mirada era intensa. Y al contraluz, sus ojos no parecían azules sino negros.

Cuando por fin la tocó, ella soltó un grito ahogado. Habían hecho el amor muchas veces, pero aquélla iba a ser distinta.

Se abrazaron y se besaron con pasión. Ella se concentró en el roce de sus senos contra su pecho y le acarició la cara.

–¿Sabes una cosa?

–¿Cuál?

–Te amaré siempre.

Bishop sonrió de forma extraña.

–¿Siempre? ¿Me lo prometes?

–Te doy mi palabra.

Bishop la besó en la boca un poco más antes de descender sobre sus pechos y retomar las caricias. En ese momento eran la pareja perfecta. No podían estar separados. Nada podía salir mal.

Laura ya estaba húmeda y preparada cuando él llevó una mano a su pubis y la introdujo entre sus piernas. Después, la empezó a masturbar suavemente mientras le succionaba un pezón. Ella arqueó la cadera y gimió.

–Hazlo, Bishop. Ahora...

Él no hizo caso.

–Hazlo, por favor –repitió–. Nunca te he deseado más.

Bishop siguió adelante con sus caricias, volviéndola loca.

–¿Estás segura?

Ella se retorció de placer.

–Sí. ¿Y tú?

Él respondió sin dudar.

–También.

La agarró de las caderas y besó sus labios. Ella separó más las piernas y se mordió el labio inferior, esperando el momento en que la penetrara.

Oía los chasquidos del fuego y sentía el olor de la leña quemada.

–Laura... –susurró.

Bishop entró en su cuerpo y se empezó a mover.

Sus acometidas se volvieron cada vez más rápidas y urgentes. Laura se concentró en el ritmo y en las sensaciones y se aferró a sus brazos, deseando que todo saliera bien.

Segundos más tarde, el éxtasis los consumió.

A la mañana siguiente, Bishop se frotó los ojos y miró a su lado. Tras hacer el amor junto al fuego, habían subido al dormitorio.

Pero Laura no estaba con él.

Se había ido.

Inmediatamente, pensó que estaría en la cocina, preparando el desayuno. Alcanzó unos pantalones, se los puso y salió al corredor.

–¿Laura? Laura, ¿dónde estás?

Como Laura no respondía, supuso que habría salido a dar a un paseo o que estaría en la terraza del Este, que era su lugar preferido por las mañanas.

Entró en la cocina, pero ni estaba allí ni había preparado nada. Echó un vistazo rápido a los dos despachos, a la biblioteca y al resto de las habitaciones, pero tampoco la encontró. Imaginó que se habría marchado de compras y se acercó al garaje, pero no faltaba ninguno de los coches.

Justo entonces, tuvo una revelación. Una revelación verdaderamente espantosa.

Corrió hacia la pasarela del jardín y sus sospechas se confirmaron al instante. Laura estaba allí, sin más ropa que el picardías que se había puesto la noche anterior.

–¡Laura!

Laura no respondió.

Preso del pánico, se acercó tan deprisa como pudo y tomó su cara entre las manos. Ella lo miró como si no lo reconociera. Parecía estar a mil kilómetros de allí.

–Laura... ¿te encuentras bien? Responde, por favor.

Ella frunció el ceño, sacudió la cabeza lentamente y empezó a reaccionar.

–Yo...

–Laura, ¿qué ocurre?

–No lo sé... no estoy segura. Me desperté y decidí salir a dar un paseo, pero no pretendía venir a este lugar –respondió, insegura–. No sé lo que me ha pasado. Ha sido como si estuviera en un sueño.

–Ven conmigo –dijo él–. Aquí hace frío.

Bishop la llevó hacia la casa, lamentando no haberle dicho la verdad. Tenía intención de decírselo, pero Laura se había empeñado en hacer el amor con él para quedarse embarazada y no había sido capaz.

–Era un sueño extraño... Recuerdo un aborto. Recuerdo el dolor y estar tendida en la cama de un hospital –continuó ella–. Pero es una tontería. Yo no me he quedado embarazada nunca y, desde luego, nunca he perdido un bebé. No sé lo que haría si lo perdiera...

–Anda, vamos a sentarnos.

–Es absurdo, ¿verdad? Estoy más confundida de lo que pensaba.

–Venga, entremos en la casa –insistió.

Bishop la llevó a su despacho y la sentó en el sofá; después, buscó una manta, se la puso por encima de los hombros y se sentó a su lado.

Laura le dedicó una sonrisa llena de inquietud.

–Supongo que será mejor que vea a ese médico.

–No te preocupes. Todo saldrá bien –la intentó animar.

–Hay algo en lo que no dejo de pensar, Bishop. La semana pasada dijiste que tenías que decirme más a menudo lo mucho que me querías... Pues bien, necesito saberlo. Lo necesito. Dímelo, por favor.

Él se sintió enfermo. Sabía que ese momento llegaría, pero no estaba preparado.

–No sé lo que me estás ocultando, pero dímelo de todas formas. Quiero saberlo todo; necesito saberlo.

Bishop la tomó de la mano y empezó a hablar. Su voz sonó increíblemente tranquila para las circunstancias.

–No sabía qué hacer –le confesó–. Cuando el médico afirmó que te podías ir del hospital y que recobrarías la memoria poco a poco, yo... me sentí acorralado.

–¿Acorralado? ¿En qué sentido?

–Sé que no te sentiste mejor cuando llegamos a casa. Tenías la sensación de que algo andaba mal, ¿verdad?

Ella lo miró y asintió.

–Sí, así es. No dije nada porque no te quería preocupar, pero empecé a encontrar objetos que no recordaba haber comprado... ropa, zapatos, comida, cosas así. Incluso me pareció que las plantas del jardín estaban más grandes.

Él suspiró e intentó encontrar las palabras adecuadas para hacerle el menor daño posible, pero no era fácil.

–Dime que no tengo una enfermedad degenerativa –declaró con angustia–. ¿Es por la caída? ¿Qué pasó exactamente?

–No lo sé. Sólo sé que te caíste de la pasarela y que, cuando recobraste la consciencia en el hospital, habías perdido parte de la memoria.

Ella entrecerró los ojos.

–¿Parte? ¿Hasta qué punto?

–Laura, esta semana has estado viviendo en el pasado –respondió–. Me temo que has olvidado dos años enteros de tu vida.

Ella palideció, pero se resistió a creerlo.

–Oh, vamos, eso no tiene ni pies ni cabeza... ¿Me estás diciendo que he olvidado dos años enteros de nuestro matrimonio?

–No, es ligeramente más complicado.

–¿Más complicado?

–Te quedaste embarazada, Laura.

Laura lo miró con asombro, como si le hubieran pegado un puñetazo; pero a pesar de ella, se las arregló para mantener la calma.

–Eso es imposible... si quedé embarazada, ¿dónde está el niño? Porque no puedo creer que lo entregaras en adopción...

El silencio de Bishop le dijo todo lo que necesitaba saber.

–Dios mío... ¿lo perdí?

Él asintió.

–No, no puede ser. Me estás mintiendo...

Bishop le pasó un brazo por encima de los hombros e intentó tranquilizarla.

–Escúchame. Sufriste un aborto y te hundiste en una depresión. Intenté ayudarte, pero no sirvió de nada. No hacías caso a nadie.

De repente, lo recordó todo.

Recordó el dolor y la angustia de la pérdida del bebé. Recordó las visitas de Grace, que la intentaba consolar inútilmente. Recordó las palabras del médico, que la animó y le dijo que no tenía importancia, que se podía quedar embarazada otra vez. Y sobre todo, recordó que Bishop y ella se habían divorciado.

–Yo tenía miedo de lo que pudiera pasar si te dejaba embarazada –continuó él–. Con tu historial médico y con lo de la muerte de mi hermano, me daba pánico... pero a pesar de ello, te apoyé en tu decisión. Jamás imaginé que terminarías abortando.

Laura se mantuvo en silencio.

–Intenté ayudarte. Te prometo que lo intenté. Sin embargo, no sabía qué hacer ni qué decir; y cuando me acercaba a ti...

–Te expulsaba –lo interrumpió–. Sí, es verdad. Estaba muy enfadada contigo. Estaba enfadada porque tenías razón y no te hice caso, porque dijiste que el riesgo era excesivo y no te escuché. Lo deseaba tanto que me creí capaz de afrontar cualquier situación que se presentara. Y me equivoqué. Y te odié por ello. Con todas mis fuerzas.

Laura se levantó y cruzó el despacho.

–Sí, ya lo recuerdo. Me fui alejando de ti y empezamos a discutir. Cada vez pasábamos menos tiempo juntos...

–Yo pensé que te sentirías mejor si te quedabas embarazada otra vez –le confesó–, pero rechazaste la idea y preferí no presionarte. Te quería tanto que...

–¿Me querías? ¿Y por qué no me lo dijiste? –bramó.

–Lo intenté, Laura.

–No mientas, Bishop. Ya estoy harta de mentiras.

Bishop se levantó del sofá y se acercó a ella.

–Laura, te lo estoy diciendo ahora.

–¿No te parece que es un poco tarde?

–Maldita sea, Laura –dijo él, desesperado–. Intento hablar contigo y no me dejas... Lo estás haciendo de nuevo. Por eso me marché.

–¡Tú no te marchaste! ¡Yo te eché de la casa! –exclamó, fuera de sí.

De repente, Laura se quedó sin fuerzas y se sintió mareada. Pensaba que la situación no podía empeorar, pero estaba en un error.

–Oh, Dios mío... Bishop... anoche...

Él se acercó con rapidez y le acarició la cara.

–Lo sé, lo sé.

Ella se llevó las manos al estómago.

–¿Qué haremos si me quedo embarazada?

Súbitamente, se apartó de él y caminó hacia la mesa del despacho.

–¡Tú lo sabías todo el tiempo! ¡Lo sabías y has mantenido relaciones sexuales conmigo! –lo acusó.

–¿Relaciones sexuales? Hemos hecho el amor, Laura...

–Sí, llámalo como quieras, pero tú lo sabías. Te has aprovechado de mí debilidad.

–¿Que yo me he aprovechado de ti? –preguntó, incrédulo–. Hice todo lo posible por mantener las distancias, pero tú insistías una y otra vez... Querías estar conmigo. Lo querías. ¿O es que lo vas a negar?

–¿Qué tipo de pregunta es ésa? –dijo con amargura.

–Una normal y corriente entre marido y mujer.

–Estamos divorciados, Bishop; divorciados –le recordó–. Ya no somos marido y mujer.

Bishop la alcanzó y la agarró del brazo.

–Lo hemos sido durante una semana entera.

Ella sacudió la cabeza.

–Dime que anoche no estabas enamorada de mí; dime que no lo estabas anteayer y el día anterior y...

–¡Esto no es justo!

–¿Y qué? Me importas, Laura. Nuestra relación me importa.

Laura lo miró fijamente e intentó calmarse.

–Pues tienes una forma extraña de demostrarlo.

Él le soltó el brazo.

–¿Tú crees? Te lo estás tomando de la peor manera posible a pesar de que me he tomado muchas molestias para suavizarlo. Dime, ¿qué habría ocurrido si la primera noche me hubiera sentado a tu lado y te hubiera contado toda la verdad, de golpe? ¿Cómo habrías reaccionado? ¿Me habrías odiado menos?

–Sí.

–¿Sí?

Ella se alejó hacia la ventana y permaneció en silencio un buen rato, como si intentara poner sus ideas en orden.

–No, supongo que tienes razón –dijo al fin–. A fin de cuentas, no estabas obligado a nada... si no te importara, me lo habrías dicho aquella noche o me habrías dejado en la cama del hospital y te habrías ido. Era lo más fácil.

–En efecto.

Laura se echó el pelo hacia atrás.

–Te has tomado muchas molestias para odiarme.

Él la miró con asombro.

–¿Para odiarte? Yo nunca te he odiado.

–Oh, vamos...

–Laura, sólo quería que lo nuestro saliera bien.

–Pues lamento decir que no hiciste un gran trabajo.

Bishop soltó una carcajada llena de dolor.

–¿Sabes una cosa? Cúlpame si quieres. Adelante, hazlo... ya estoy acostumbrado.

–También es tarde para eso.

–¿Lo dices en serio?

Laura le lanzó una mirada tan agresiva que Bishop se preguntó con qué le iba a salir ahora.

–¿Por qué lo has hecho? ¿Por qué te has acostado conmigo? ¿Por qué me has hecho el amor sin protección? Estamos divorciados, Bishop. Ya no hay nada entre nosotros.

–Porque al volver contigo, me di cuenta de que lo nuestro no había terminado. Poco a poco, comprendí que esta vez podríamos arreglar las cosas, que podríamos solventar nuestros problemas y tener un futuro.

Laura apretó los labios y se giró hacia la ventana.

Como no decía nada, él se volvió a acercar.

–¿Qué estás pensando? –preguntó.

–Tengo miedo de decirlo...

–Dímelo de todas formas.

Laura parpadeó para contener las lágrimas.

–Es una locura, pero una parte de mí desea que...

–Dímelo –insistió.

–Desea...

–¿Quedarse embarazada?

Ella asintió y lo miró con angustia. Él sonrió con calidez.

–No te preocupes. Todo saldrá bien.

–No es la primera vez que dices eso –le recordó.

–¿Sabes qué me dijo tu hermana en el hospital?

–¿Qué te dijo?
–Que el destino nos había concedido una segunda oportunidad y que debía aprovecharla –respondió.
–¿Laura dijo eso?
–Sí, ya sé que es difícil de creer, pero lo dijo. Al principio, pensé que sólo era una de sus tonterías; pero con el transcurso del tiempo, he comprendido que tenía razón.
Ella inclinó la cabeza como si estuviera a punto de rendirse. Él le puso las manos en la cintura, pero ella se apartó una vez más.
–Lo estás haciendo a propósito.
–¿A qué te refieres?
–Pretendes confundirme.
–¿Confundirte? Más bien, *desconfundirte*... –declaró con humor.
Ella sonrió a regañadientes.
–Sí, sí, ya sé que me he inventado esa palabra –añadió él.
Bishop la llevó nuevamente al sofá. Al cabo de unos minutos de silencio, ella miró la habitación de forma extraña y él supo que estaba recordando.
–Me apoyaste cuando dije que me quería quedar embarazada; eso es cierto. Pero estabas muy ocupado en tu trabajo y cada vez pasabas más tiempo fuera de casa... Y luego, cuando aborté, tuve la impresión de que en el fondo te sentías aliviado. Hasta creí que te alegrabas porque los hechos habían demostrado que tú tenías razón.
Laura cerró los ojos con fuerza y Bishop decidió dejarla hablar.

–Supongo que cuando perdí la memoria, te alegraste de que no recordara nada de esa época, ¿verdad?

–Cómo no me iba a alegrar... Fue una época terrible y sabía que te habría entristecido –confesó.

–Pero forma parte de mí. Y quiero recordarlo todo, por mucho que me duela.

–¿Insinúas que estás dispuesta a llevar tu dolor hasta las últimas consecuencias? ¿Que abrazarás la amargura y el sentimiento de pérdida aunque eso signifique destrozar lo que hemos compartido?

–No, no insinúo eso –dijo con debilidad–. Además, sé que no tengo derecho a estar enfadada contigo. Tú ni siquiera me abandonaste... como ya he dicho, fui yo quien te eché de mi lado y de la casa.

Bishop se encogió de hombros.

–Bueno, supongo que la culpa es de los dos –afirmó.

Laura se giró hacia él y dijo:

–Lo siento, Bishop; sé que es demasiado tarde, pero lo siento. Lamento que lo nuestro terminara de esa forma.

–Sí, yo también lo lamento.

–¿Y qué vamos a hacer?

–Lo que tú quieras –le concedió.

Ella soltó un suspiro.

–¿Lo que yo quiera? La cabeza me da vueltas. Si no puedo decidir lo que quiero desayunar, ¿cómo voy a decidir sobre lo que ha pasado esta semana?

–Bueno, tal vez deberías descansar unos días y dejar que las emociones se asienten poco a poco –respondió.

–Y ver si me he quedado embarazada. Eso es lo que quieres decir, ¿verdad?

A pesar de su preocupación y de su inseguridad, Bishop logró mantener el aplomo y simular que estaba tranquilo.

–Si estás embarazada, los dos tendremos decisiones importantes que tomar.

Cuando Bishop subió al coche y se alejó por el camino, Laura se quedó unos segundos en el porche.

No sabía si sentirse aliviada o deprimida. Tras su larga conversación, habían decidido que necesitaban pensar y que permanecer bajo el mismo techo sólo contribuiría a alterar las emociones, ya bastante alteradas; pero a pesar de ello, Laura era consciente de que echaba de menos el afecto de Bishop, el calor y la fuerza del hombre con quien se había casado y de quien se había divorciado.

Estaba a punto de regresar al interior de la casa cuando vio que Bishop se cruzaba con otro coche. Era el de su hermana.

Grace salió del vehículo y la abrazó con fuerza.

–Supongo que ya lo sabes, ¿verdad? –dijo Laura–. Bishop me lo ha contado todo.

–Me lo imaginaba.

–Pero seguramente no sabes que nos hemos acostado...

–Cualquiera se habría dado cuenta. Se os nota en la cara.

–Y no usamos protección.

Grace la miró con asombro.

–¿Bishop se ha prestado a eso?

–Supongo que no tenía otro remedio... yo estaba viviendo en el pasado. Era la misma persona que fui cuando nos conocimos.

–¿Y has recobrado completamente la memoria? ¿Te acuerdas del aborto?

Laura cerró los ojos para bloquear el dolor, pero no sirvió de nada.

–¿Por qué dejaste que Bishop me trajera a casa cuando estaba en el hospital, Grace? Sabías que terminamos de mala manera.

–Porque no podía llevarte conmigo. Mis hijos tienen dos años más de lo que recordabas y te habrías dado cuenta. Además, pensé que en tu casa tendrías más posibilidades de recuperarte... sin mencionar que siempre has estado enamorada de él.

–Bishop mencionó que a ti te parecía una segunda oportunidad...

–Es cierto. Lo dije.

–No lo entiendo. Pensaba que Bishop no te caía bien.

–Te equivocas, Laura. De hecho, soy consciente de que tu matrimonio fue la época más feliz de tu vida; por lo menos, al principio –afirmó–. Pero también soy tu hermana mayor y estaba en la obligación de aconsejarte. Os casasteis demasiado pronto, sin tener ocasión de pensarlo bien.

Laura bajó la cabeza.

–Es que nos queríamos tanto...

–Y ahora, cabe la posibilidad de que te hayas quedado embarazada.

–Sólo es una posibilidad remota.

–Pero real –puntualizó Grace–. Y como decía, una oportunidad para evitar los problemas y los desencuentros que os condenaron al divorcio.

Laura apoyó la cabeza en el hombro de su hermana. Después, se sentaron y estuvieron en silencio un buen rato.

No quería pensar en lo que sucedería si se quedaba encinta y volvía abortar. Sólo sabía que quería ser madre, que lo deseaba con todas sus fuerzas; y que esta vez, si ponía la fe y el amor suficientes, las cosas saldrían bien.

Capítulo Doce

Una semana después, Bishop volvió a la casa de las Montañas Azules. Laura debió de oír el coche, porque salió a recibirlo. A simple vista, le pareció completamente recuperada y más bella que nunca.

Aquella mañana la había llamado por teléfono, pero no le había dicho que se iba a presentar con la perrita. Quería darle una sorpresa. Y tampoco le había preguntado si se había hecho una prueba de embarazo. Porque no se atrevía a preguntar.

Cuando salió del coche, ella sonrió.

–Hola, Bishop.

Él estaba a punto de anunciarle la sorpresa cuando la perrita ladró en el interior del vehículo y la estropeó.

La cara de Laura se iluminó al instante.

–No me digas que has traído a...

–Sí.

–¿Por qué no me lo habías dicho?

–Porque entonces no habría sido una sorpresa.

Laura corrió a abrazar al animal, que le lamió las mejillas y la nariz. Estaba tan contenta que empezó a reír por primera vez en muchos días.

–Es una preciosidad...

–Y sospecho que tiene hambre –dijo él–. Llévala a la casa y yo recogeré sus cosas; están en el maletero.

Cinco minutos después, la perrita se dedicaba a olisquear cada rincón de su nuevo hogar. Bishop le puso comida y agua y ella le acarició la cabeza.

–Te gusta tu casa nueva, ¿verdad?

La perrita siguió olisqueando como si nada.

–Gracias, Bishop. Es el mejor regalo que me podían hacer.

–¿Ya sabes cómo la vas a llamar?

–He pensado que Queen sería un nombre apropiado.

–Queen... me gusta. Pero tendremos que hacer algo con ella; pensaba que sería tranquila y es un saco de nervios. Tal vez deberíamos llevarla a un entrenador.

–No es mala idea –dijo ella, alisándose el vestido con nerviosismo–. Por cierto, yo también tengo una sorpresa para ti.

Laura se acercó a la repisa de la chimenea y alcanzó la prueba de embarazo que había dejado allí.

–Lo compré hace un par de días y he estado esperando a que aparecieras –le confesó–. Se supone que los resultados son extremadamente exactos.

–¿Se puede hacer tan pronto?

Laura asintió.

–Sí. Comprueba los niveles hormonales.

–Ah, comprendo.

–Estoy muy nerviosa...

Bishop sonrió.

–¿Te la puedes hacer ahora mismo?

–Por supuesto. Tendremos los resultados en un par de minutos.

Él la tomó de la mano y miró la cajita de la farmacia.

–Entonces, ve. Te esperaré aquí.

Mientras esperaba, Bishop se puso a caminar de un lado a otro; pero al cabo de cinco minutos, se sentía tan tenso como si llevara esperando toda una vida.

Caminó hasta el armario donde guardaba los licores y sacó una botella.

Necesitaba una copa.

Cuando volvió al salón, Bishop estaba junto a una de las ventanas, contemplando los bosques y tomándose una copa.

Ella admiró un momento su espalda y avanzó hacia él, que se dio la vuelta al oír sus pasos. Estaba más tranquila que nunca. Lo estaba porque sabía que esta vez serían felices y porque la prueba había terminado con su incertidumbre anterior.

No estaba embarazada.

–Supongo que eres un hombre libre –dijo.

La sonrisa de Bishop desapareció al instante.

–¿Ha dado negativa?

–Me temo que sí.

Él guardó silencio.

–Pero supongo que es lo mejor –continuó ella.

Bishop se pasó una mano por el pelo.

–¿Estás segura?

–Tan segura como puedo estarlo. El resultado es concluyente; podría ir al médico para que lo confirme, pero sería una pérdida de tiempo.

Él se sentó en la banqueta del piano y acarició a Queen con expresión triste y distante. Laura no sabía cómo reaccionaría al saberlo, pero no había imaginado que lo deprimiría hasta ese punto.

Entonces, él respiró hondo y le dio otra sorpresa.

–Lo intentaremos de nuevo –dijo.

Ella se quedó boquiabierta.

–¿Quieres que lo intentemos otra vez? Pero si ya no estamos casados...

Bishop frunció el ceño y se puso de pie. Laura se preguntó si le estaba pidiendo que se volviera a casar con él.

–Sí, es verdad, ya no estamos casados; pero la semana pasada me sentí como si lo estuviera –declaró.

–Porque yo padecía amnesia y no recordaba que habías firmado los papeles del divorcio –afirmó ella.

–Eso no fue cosa mía, Laura, sino tuya. Fuiste tú quien me enviaste los documentos del divorcio y me exigiste que los firmara.

–Podrías haberte negado.

Él la miró a los ojos durante unos momentos, dispuesto a contraatacar; pero tras pensarlo, sonrió y dijo:

–Sí, tienes razón, podría haberme negado; pero eso carece de importancia a estas alturas... siento que la prueba haya sido negativa, cariño.

–¿Lo sientes de verdad? –preguntó con desconfianza.

Él apretó los dientes.

–Laura, siempre quise que lo nuestro saliera bien; pero estabas obsesionada con tener un hijo y supe que no tendríamos esperanza si no te quedabas embarazada. Después, pasó lo que pasó y se acabó todo... Sin embargo, los días que hemos estado juntos han servido para que reconsiderara nuestra relación. Sinceramente, creo que podemos volver a tener el amor que tuvimos.

Ella se emocionó tanto que se quedó sin palabras durante un momento. Y cuando habló, fue para formular una pregunta sencilla:

–¿Cómo?

–No lo sé. Supongo que empezaremos con lo que tenemos ahora y que seguiremos paso a paso, poco a poco, juntos.

–Pero nos encontraremos con los mismos obstáculos de siempre...

–Entonces, los sortearemos.

Ella se sintió al borde de las lágrimas.

–Oh, Bishop... también dijiste eso la primera vez.

–Y te quedaste embarazada, ¿no es verdad? –preguntó–. Lo que pasó después no fue culpa mía. No fue culpa de nadie.

–Lo sé.

–Dime, Laura, ¿todavía quieres tener una familia?

–Sí, pero...

–¿Pero? –la presionó.

–No sé si seré capaz de arriesgarme otra vez.

–Y te niegas a adoptar niños, claro.

–Sí... bueno, no sé, no estoy segura. En este momento estoy demasiado confundida. No puedo pensar con claridad.

–Entonces, supongo que será mejor que no te lo pregunte de nuevo –dijo, derrotado.

–No, será mejor que no.

Bishop miró la copa que se había servido. La había olvidado por completo y estaba casi llena, pero la vació de un trago. Necesitaba algo fuerte; se sentía mentalmente exhausto.

–¿Quieres que te ponga otra? –preguntó ella–. O si prefieres un café...

Él se acercó a la chimenea y dejó el vaso en la repisa.

–Esta mañana he preparado magdalenas –continuó Laura.

–Las magdalenas no van bien con el whisky –ironizó él.

Tras unos segundos de silencio tenso, ella suspiró.

–Parece que no tenemos mucho que decir.

–Sí, eso parece. En fin, será mejor que me vaya. Me alegra que la perrita te guste.

Bishop salió de la casa sin darle un beso de despedida y entró en el coche, pero no arrancó de inmediato. Se quedó mirando el volante. Y Laura, que había salido al porche, tuvo la esperanza de que volviera corriendo y la abrazara.

Deseaba pedirle que se quedara. Lo deseaba por encima de ninguna otra cosa. Pero sólo fue capaz de gritar:

–¡Conduce con cuidado! ¡Y saluda a tus padres cuando hables con ellos!

Esta vez, Bishop arrancó y se marchó sin más.

Cuando volvió a la casa, Laura se sentía profundamente deprimida. Era como si estuviera reviviendo el momento de su divorcio.

Capítulo Trece

Bishop miró por la ventana de su despacho de Sidney. No estaba interesado en las vistas de la ciudad ni en el hecho de que hubiera estado lloviendo toda la semana. A decir verdad, no estaba interesado en nada. Willis le había enviado un montón de mensajes de correo electrónico importantes y ni siquiera los había mirado.

Siempre había sido un hombre cauteloso, un hombre que pensaba las cosas mil veces antes de tomar una decisión; pero cuando por fin la tomaba, no permitía que nada ni nadie se interpusiera en su camino.

Sin embargo, esta vez no sabía qué hacer. No encontraba una solución para su problema.

Unos segundos más tarde, llamaron a la puerta. Bishop le había dicho a su secretaria que no le pasara llamadas ni dejara entrar a ninguna visita, de modo que sólo podía ser una persona: Willis.

–Sam, ya sé que tú eres el jefe, pero...

–Sí, yo soy el jefe –bramó.

–Pero necesito una respuesta –continuó él–. Y la necesito ahora. Clancy Enterprises nos ha dado hasta el mediodía de hoy. Si no tienen una respuesta para entonces, retirarán su oferta y se marcharán.

Bishop suspiró, se giró en el sillón y apoyó los codos en la mesa.

–Está bien, vendamos. Quiero hacerlo cuanto antes.

Willis lo miró con intensidad.

–¿Estás completamente seguro?

–¿No has dicho que querías una respuesta? Pues ya la tienes.

Lejos de amilanarse, Willis se acercó a la mesa y se apoyó en ella.

–¿Necesitas hablar? –preguntó.

Bishop supo que se refería a Laura.

–No, prefería no volver a hablar de ella en toda mi vida.

–No digas tonterías. Sigues enamorado de esa mujer.

–¿Cómo puedes estar tan seguro? Sólo me has visto dos veces con ella –le recordó.

–Es verdad, pero Hayley os vio juntos en la fiesta de mi cumpleaños y mi esposa tiene un sexto sentido con estas cosas. Cuando os marchasteis, me comentó que se notaba que os queríais mucho.

–Déjame que te diga algo.

Willis se cruzó de brazos.

–Adelante.

–Estuve enamorado de Laura, pero eso carece de importancia. No fue suficiente la primera vez y no lo será ahora.

–¿Y qué vas a hacer? ¿Meter el rabo entre las piernas y volver a huir?

–Te estás pasando, Willis –le advirtió.

–¿Por qué? ¿Porque sabes que tengo razón?

–No entiendo a qué viene esto. Pensé que te alegrarías con la venta de la empresa; y en lugar de alegrarte, me saltas al cuello con lo de mi exmujer.

Como respuesta, Willis cruzó tranquilamente la habitación y alcanzó una de las piezas del tablero de ajedrez.

–Este tablero te lo regalo ella, ¿no es así?

Bishop entrecerró los ojos.

–Sí. Fue un regalo de boda.

–Y lo mantienes.

–Porque es valioso.

–¿Tan valioso como para soportar que te recuerde a ella todos los días, cada vez que te sientas a la mesa? –ironizó.

Bishop se hundió en el sillón y se frotó las sienes. Se sentía muy angustiado.

–La semana pasada, Laura creyó que podía haberse quedado embarazada –declaró.

–¿Y no lo está?

–No, no lo está –respondió, sacudiendo la cabeza–. Dijo que quería intentarlo otra vez y me mostré de acuerdo, a pesar de lo que ocurrió la primera vez.

–Y se enfadó contigo cuando recobró la memoria, claro.

–Sí, al principio reaccionó bastante mal; pero luego acordamos que, si estaba embarazada, tendríamos el niño.

–Pero como no lo está, la has dejado.

–No, no ha sido así en absoluto... Sencillamente, ella sabe tan bien como yo que, sin un niño de por medio, no tenemos futuro. Entre nosotros hay demasiados rencores, demasiados recuerdos, demasiado por perdonar.

–Pues imagina los recuerdos que tendrás cuando te jubiles y seas un hombre amargado.

–Por Dios, Willis, ¿qué quieres que haga? –se defendió.

–¡Ganar! ¡Ganar la batalla! Por ti y por ella.

–Esto no es una guerra. No hay ninguna batalla que ganar.

Willis lo miró con exasperación.

–No lo entiendo. Con todo lo demás, te comportas como un tigre acechando a su presa... y cuando el premio es la felicidad, te vuelves tan torpe que eres incapaz de distinguir la izquierda de la derecha.

Bishop estaba harto de escuchar a su amigo. Se levantó y se dirigió a la puerta con intención de marcharse, pero Willis lo agarró del brazo.

–Escúchame. Sé de lo que hablo. Hayley y yo nos separamos una temporada; pero alguien tenía que dar su brazo a torcer, de modo que me tragué mi orgullo y le pedí que volviera conmigo. Sé inteligente, Sam. Y por cierto, no vendas la empresa.

–¿La empresa? –preguntó, confundido–. Estábamos hablando de Laura.

–Sí, pero te conozco y sé que te arrepentirás. No la vendas –insistió–. Y por todos los diablos, haz algo con esa mujer.

–La llamaré por teléfono.

–Cuándo.

–Cuando pueda.

Willis bufó.

–Si no la llamas, es que eres tonto.

–Puede que lo sea. Pero ya basta; fin de la conversación.

Cuando su amigo se marchó, Bishop decidió que aceptaría su consejo en lo referente a la empresa. Quería venderla porque necesitaba desafíos nuevos, pero su vida había cambiado en los últimos días y prefería seguir adelante sin tomar decisiones drásticas.

En cuanto a Laura, era cierto que la iba a llamar.

Pero todavía no.

Siempre había actuado de forma impulsiva con su exmujer. Esta vez, planearía las cosas con sumo cuidado y esperaría a que se presentara el momento y el lugar oportunos. Sólo entonces, saltaría sobre su presa.

Capítulo Catorce

El día de Nochevieja siempre era especial. De pequeñas, Laura y Grace pasaban la noche con sus padres y se unían a las celebraciones de la toda la Costa Este cuando el viejo reloj de su abuelo marcaba las doce en punto. Pero esos tiempos ya habían pasado. Sus padres ya no estaban con ellas.

Laura tomó un poco de vino blanco y echó un vistazo a la sala, llena de gente y de globos de colores. Durante los últimos años, se dedicaba a organizar fiestas de disfraces con fines benéficos, pero no estaba de humor para celebrar nada; de hecho, ardía en deseos de marcharse de allí.

Llevaba dos meses sin ver a Bishop. Al principio, se había enfadado con él porque pensó que se había aprovechado de su amnesia; después, se dio cuenta de que no había sido su intención y su enfado se esfumó. Pero eso no cambiaba nada. Por mucho que lo echara de menos, estaba convencida de que entre ellos había demasiadas diferencias, demasiados problemas sin solución.

Volvió a mirar a su alrededor y se repitió la misma promesa que se había repetido tantas veces durante las semanas anteriores. No podía seguir viviendo en el pasado. Encontraría las fuerzas necesarias y seguiría adelante. Bishop ya no formaba parte de su vida.

Estaba enamorada de él, pero ya no formaba parte de su vida.

En ese momento, alguien le dio un empujón sin querer y le derramó la copa. Cuando se dio la vuelta, una pareja disfrazada de Luis XVI y María Antonieta le pidieron disculpas y siguieron su camino.

En aquella ocasión, Laura se había disfrazado de Campanilla, el hada de Peter Pan; pero a pesar del disfraz, no se sentía ni pícara ni atrevida. Cuando el capitán Garfio se le acercó y le pidió que bailara con él, ella hizo lo mismo que había hecho con todas las invitaciones de la noche: rechazarla con educación.

Miró hacia el bar y se fijó en un hombre alto, de hombros anchos y muy masculino que se había disfrazado de Indiana Jones. Como llevaba antifaz y él tenía el sombrero inclinado hacia delante, no le pudo ver la cara; pero justo en ese momento, el hombre se giró y miró la sala con indolencia.

Tenía ojos azules. Unos ojos azules que le resultaron muy familiares.

Se quitó el antifaz a toda prisa y lo miró mejor.

Era él. No había duda. Pero le pareció increíble; había comprobado varias veces la lista de invitados y su nombre no estaba entre ellos.

Bishop se quitó el sombrero y caminó hacia Laura. En ese instante, alguien gritó:

–¡Cinco minutos para medianoche!

Cuando llegó a su altura, sonrió. A Laura le pareció que tenía ojeras, como si no hubiera dormido en varios días.

–Bishop... qué sorpresa.

–Espero que sea una sorpresa agradable.

Ella respiró hondo y se ajustó las alas del disfraz.

–No había visto tu nombre en la lista de invitados.

Él contempló sus labios con deseo.

–Porque tomé la decisión de asistir a la fiesta en el último momento –explicó–. Tengo entendido que ahora eres la coordinadora de espectáculos...

–Ya sabes que siempre me han gustado estas cosas. Planteé unas cuantas ideas, promocioné un poco la fiesta e incluso logré que nos prestaran disfraces sin pagar un dólar por ellos... Incluido el que llevo puesto, por cierto.

Él asintió y la miró con aprobación.

–Pues has hecho un gran trabajo. Felicidades. Debería hablar con mi departamento de promociones para que te consulten cuando tengan dudas.

–¿Con tu departamento? Entonces, ¿no has vendido la empresa?

–No, no la he vendido.

–Oh, Bishop... me alegro mucho. Sé que siempre ha sido importante para ti. Le has dedicado tantas energías que, algún día, Bishop Scaffolds tendrá una delegación en todos los países del mundo.

–Y yo llevaré un disfraz de Superman –se burló.

Ella rió.

–¡Tres minutos para medianoche! –avisó alguien.

–Será mejor que nos preparemos –dijo Laura–.

Según me han dicho, los fuegos artificiales de esta noche van a ser espectaculares.

–Sí, espectaculares –repitió él.

La gente se empezó a animar ante la perspectiva inminente del cambio de año. Laura se sintió tan atraída por Bishop que decidió poner tierra de por medio; si permanecía con él, era capaz de hacer alguna tontería.

–Bueno, será mejor que te deje disfrutar de la fiesta. Feliz Año Nuevo, Bishop.

–Cuídate, Laura.

Antes de que Laura desapareciera entre la multitud, él pensó que estaba más bella y deseable que nunca. Durante dos largos meses, había estado esperando el momento adecuado para reconquistar su amor. Pero la espera había merecido la pena. Aunque ella no lo sabía, estaba a punto de actuar.

Cuando anunciaron que sólo faltaba un minuto para la medianoche, la gente empezó a reír y a gritar y Bishop se terminó la copa que tenía en la mano. Después, se cruzó de brazos, se apoyó en la barra y siguió esperando.

–Diez, nueve, ocho, siete...

Bishop se había presentado en la fiesta con unos amigos y había hecho unos cuantos contactos profesionales, pero no estaba allí por eso. Había ido por Laura. Había ido porque la amaba, porque la necesitaba y porque esta vez no iba a aceptar un no por respuesta. Se iría con él por mucho que protestara.

A las doce en punto, la sala estalló de júbilo y

todo el mundo se felicitó. Bishop se quitó el sombrero, lo dejó a un lado y avanzó entre la gente.

Cinco minutos antes, había permitido que Laura se marchara porque tenía un plan y quería atenerse a él. Pero la espera había llegado a su fin.

Segundos más tarde, vislumbró las alas de su disfraz y se plantó ante ella.

–Sin ti, el tiempo no es más que un vacío enorme –declaró.

Laura tardó unos momentos en reaccionar.

–Bishop, por favor... esto no tiene sentido. Ya nos dijimos todo lo que nos teníamos que decir. Revivir el pasado es absurdo.

–Tienes razón. Lo es. Pero ya no se trata de revivir el pasado, sino de seguir adelante; de superar lo sucedido y seguir adelante.

–Sólo hay una forma de lograr eso. Dejarlo atrás.

–Sabes perfectamente que ninguno de los dos lo puede dejar atrás.

–Pues tendremos que hacerlo. ¿Es que no te das cuenta? No hay solución.

–Me niego a aceptar eso.

–Bishop, te lo ruego...

Él le agarró las manos por miedo a que se marchara.

–Cuando nos separamos, estaba muy enfadado; no contigo, sino con lo que había pasado. Perdimos un niño y supongo que el dolor me pesó... creía que no entendías lo que sentía. Pero luego, cuando perdiste la memoria, me empecé a preguntar si Grace estaría en lo cierto, si efectivamente se nos había presentado una segunda oportunidad –declaró con emoción–. Laura... estoy enamorado de ti. Siempre lo estaré.

Ella derramó una lágrima solitaria.

–¿Estás enamorado de mí? ¿Todavía?

Él asintió, sonrió y le acarició la mejilla.

–Quiero pedirte lo que siempre me pediste a mí. Ten fe, Laura. Hace dos meses estábamos enamorados, y sé que podemos estarlo de nuevo. Entre otras cosas, porque nunca te he dejado de amar.

Lentamente, Bishop le soltó las manos. Necesitaba verle la cara, de modo que alzó un brazo y le quitó el antifaz.

Antes de que Laura respondiera, supo lo que iba a decir. Lo adivinó en sus ojos.

–Y yo estoy loca por ti, Bishop. Lo he estado siempre, incluso cuando no quería. Pero ¿qué podemos hacer? Aunque me marchara contigo esta noche, nuestro problema seguiría estando presente.

Bishop se llevó una mano al bolsillo de la camisa y sacó dos delicadas piezas de oro, con forma de corazón. Tenían sus nombres grabados.

–Lo intentaremos otra vez, Laura. Volverás a quedarte embarazada; pero sólo cuando estés dispuesta. Y pase lo que pase, estaré a tu lado.

Ella empezó a sollozar. Ya no oía los gritos y las risas de la gente a su alrededor. Sólo tenía oídos para él.

–Supongo que eso es la respuesta a mi pregunta... –continuó Bishop.

–¿A qué pregunta? No has hecho ninguna pregunta.

–¿Ah, no? Entonces, la formularé ahora... ¿Quieres casarte conmigo?

–¿Casarme contigo? Tal vez deberíamos esperar un poco...

–Estoy cansado de esperar. Quiero volver a ser a tu marido.

Mientras el resto de los invitados festejaban el cambio de año, él abrazó a Laura con fuerza y le dio un beso.

Un beso que era una promesa de futuro.

Y una promesa que ninguno de los dos olvidaría.

Epílogo

Laura y Bishop estaban sentados en el salón de la casa de las Montañas Azules, viendo su grabación preferida, la del bautizo de su hija.

Abygail Lynn Bishop había heredado el pelo negro de su padre y los ojos esmeralda de su madre. En la pantalla, llevaba el vestidito que la abuela de Laura le había hecho a ella veinticinco años antes.

Había sido un día lleno de emociones. Willis y Grace estuvieron perfectos en su papel de padrino y madrina, y los padres de Bishop habían cruzado toda Australia para poder asistir a la celebración. Pero lo más emocionante de todo, desde el punto de vista de Laura, era la expresión de Bishop. Su cara irradiaba orgullo, gratitud y amor.

Cuando la grabación terminó, Bishop sacó el DVD del reproductor. Abby se estaba divirtiendo con uno de sus teléfonos de juguete y Queen se dedicaba a dormir tranquilamente, como si nada fuera con ella.

–Nunca me cansaré de recordar ese día –le confesó Laura–. Podría ver esas imágenes todo el tiempo, una y otra vez... ¿Y tú, Abby? ¿También podrías?

La niña alzó los brazos. Laura se inclinó y la sentó sobre sus piernas.

–No sé por qué le preguntas; todavía es demasiado pequeña para hablar. Pero es una suerte, porque si se parece a su madre, nos arruinará con la factura telefónica.

–Oh, vamos, no es para tanto... Además, yo necesito hablar. Se podría decir que es esencial para mi supervivencia –ironizó.

–Pues a mí se me ocurre una cosa que es esencial para la mía.

Bishop dejó el DVD en su carátula, se sentó con su esposa y la besó tan apasionada como brevemente.

–¿Eso es todo? ¿No vas a seguir?

–En cuanto la niña se duerma –le prometió.

En ese momento, Abygail alcanzó el DVD y lo intentó morder.

–No, no, preciosa. Lo vas a estropear... –dijo su madre.

Bishop acarició la cabeza de su hija.

–Tu madre tiene razón. Ya verás la grabación cuando seas mayor de edad.

–No creas que falta tanto tiempo para eso. Se hará mayor antes de que nos demos cuenta y luego se marchará y nos dejará solos.

–Bueno, pero a mí se me ocurre una forma de retrasar el momento.

–¿Cuál? ¿Mimarla tanto que no se quiera marchar del nido?

Él le acarició los labios con un dedo y susurró:

–No. Adivínalo.

Laura contuvo la respiración. No esperaba que Bishop se lo propusiera. Tener su primera hija había sido una decisión difícil para los dos, pero la pequeña gozaba de buena salud y no había heredado su problema cardíaco. No había motivo alguno para que no lo pudieran intentar otra vez.

–¿Quieres que tenga un hermanito?

Él sonrió.

–¿Y tú?

Laura estaba tan emocionada que casi no podía hablar.

–Por supuesto que sí. Nada me gustaría más.

Bishop la miró con un afecto inmenso.

–¿Te he dicho ya lo mucho que te quiero?

–Recuérdamelo...

–Sin ti, yo no sería nada. No tendría sentido –le susurró.

Laura tuvo que hacer un esfuerzo para contener las lágrimas.

–Vas a conseguir que me maree...

–En el mejor de los sentidos, espero.

–Desde luego que sí.

Como la niña se había quedado dormida, Bishop le propuso un plan.

–Tengo una idea. Si tú subes a acostarla, yo ordenaré un poco el salón y encenderé un fuego en la chimenea.

–Trato hecho. Nos encontraremos aquí.

Cuando se levantó, Laura pensó que al año siguiente, por esas fechas, tendrían un segundo hijo. Pero entonces miró las dos fotografías que colgaban de la chimenea y se dijo que ya no tenía necesidad de hacer conjeturas sobre el futuro.

Ahora eran una familia. Se amarían y se apoyarían siempre, en cualquier circunstancia.

Pasara lo que pasara.